U0118672

臺中市政府文化局　遠景 VISTA PUBLISHING

日月湖心

臺中公園的今昔

目月湖心
臺中公園的今昔
CONTENTS

臺中公園日月湖，是臺中市的精神象徵。

市長序
溫和自信的幸福城市

林佳龍

　　臺中市是一座充滿陽光活力的健康城市，擁有豐富人情味與生活、生態、生產的生命力，是個適合安身立命、成家立業的好地方，有著無限可能的發展性。

　　要在一座城市落地生根，要先宜居，才會有移居，進一步怡居。臺灣雖然面臨少子化，然而近年來臺中市人口每年都增加將近上萬人，表示本地是適合生活的城市，有獨特的吸引力。因此我們所該做的，是規劃以人為本，跨域整合、推動能讓臺中市民擁有和善生活環境的各項政策，而在這樣的政策背後，內蘊著豐厚的城市精神，進而促使我們策劃「臺中學」叢書，將臺中文化城的靈魂具體形塑，讓市民及外地大眾更為認識臺中、親近臺中。

　　地方學能完整描繪地區的獨特歷史發展脈絡，傳承及活化運用在地文化智慧，但往往以研究調查的方式撰述，缺乏地方生活記憶與認同，也讓大眾不易親近。因此，臺中市政府文化局對「臺中學」叢書的策劃，選擇臺中市具代表性的生活面指標為主題，發掘臺中地區最具本土性、獨特性的特色，運用柔性的筆觸與豐富的圖像，期望能讓本地市民更親近、關注自身的生活脈絡，也提供外地大眾了解在地文化的媒介。

首次出版即廣邀長期深耕並關注臺中歷史、文化的工作者主筆撰述，包括林良哲、楊宏祥、吳長錕、賴萱珮、廖振富、陳貴凰、吳政和、張玉欣，鉅細靡遺地梳理臺中市的地貌遷徙與人事流轉，勾勒出臺中人的溫和自信。主題則從最具代表的地景臺中公園、農業發展葫蘆墩圳、薈萃人文清水區、時代文人林獻堂及茶飲代表珍珠奶茶著眼，這些可以被稱為臺中印象的關鍵詞，全都從篇幅裡甦醒，閱讀過程中，可以感受到臺中市百年時空裡的風華面貌。

　　透過閱讀「臺中學」，可以知道不論昔日或今日，臺中人擁有一種溫和的驕傲，還有溫和的自信。我希望臺中「溫和自信」的形象能在全臺灣、全世界成為獨特魅力，更希望讓每位居住在此的市民，感受身為臺中人的榮耀，大聲喊出「我是臺中人」！

局長序
臺中形象的關鍵字

王志誠

　　一座城市要自成一學，需要的是生活與歲月的積累，除了這些積累仍不足夠，更要活躍出屬於這座城市的獨特性，使人一提及關鍵字，就能與該地的人文、風土、歷史、生態、地景聯結，進而勾勒出這座城市獨一無二的面貌與個性。

　　縣市合併後的大臺中地區，圍抱了山與海，根植了城市與自然，更將歷史與未來聯結在同一條路徑上，讓人們注視臺中的視野更遠、更廣、也更活。這使我們手中擁有能夠形塑臺中印象的關鍵字如同春日的繁花盛開，令人目不暇給。但我們希望人們對臺中的形貌不只是一個單詞的片面形容，而能更加深化、豐厚為一門有血肉與溫度的「學」。

　　因此我們策劃「臺中學」的書系，選擇具代表性的指標為專書主題，發掘臺中地區具有本土性、獨特性的特色，同時更希望書系的開闢能成為引發學者專家對「臺中學」深入調查研究的動力及發表的舞臺。今年首次登場的臺中學共有五大主題，分別是地景類的臺中公園，地域類的葫蘆墩圳、清水區，人物類的林獻堂，飲食文化類的珍珠奶茶。

　　日治時期即在日本人有系統的都市規劃中誕生的臺中公園，每一代臺中人的記憶總有它的身影，見證了臺中市區的地貌遷徙與人事流轉，長期研究臺中地方文史的林良哲將這些見證書寫為動人的《日月湖心：臺中公園的今昔》，生動地

述說了臺中公園的前世今生；引入大甲溪的活水澆沃了大臺中地區的廣大農田，結出美味的稻米養育了一代又一代的臺中人，葫蘆墩圳對臺中的重要性不言可喻，深耕豐原當地文史工作的《葫蘆墩季刊》主編楊宏祥遂寫成《圳水漫漫：葫蘆墩圳探源》一書，鉅細靡遺地歸納葫蘆墩圳開發以來的數百年時空故事；清水坐擁海洋與柔風，不僅吹撫出一片美麗的濕地與小鎮景致，也薈萃出深厚的人文脈絡，以「清水散步」文化推廣基地聞名的吳長錕及賴萱珮深知清水的魅力，以《海線散步：清水人文地誌學》一書帶領眾人前往清水散步、享受小鎮的慢活方式。

霧峰林家是臺灣最重要的古蹟建築之一，而其主人林獻堂更在臺灣近代史上占有舉足輕重的地位，他個人的一生幾乎與日治時期的臺灣共同呼息，國立臺灣文學館館長廖振富所著的《追尋時代：領航者林獻堂》不只從日治臺灣的政經環境切入林獻堂的生命，更剖析他與親族、當代重要人物之間相處的點滴，將林獻堂的形象重塑得更為真實活絡；而現在人手一杯、甚至紅到美國前國務卿希拉蕊手上的珍珠奶茶，已經成為臺灣茶飲文化的經典代表，臺灣處處有珍珠奶茶，但臺中是將珍珠奶茶等茶飲文化發展得最徹底的地方，由陳貴凰、吳政和、張玉欣打造《團圓食光：世界珍奶與臺中茶飲》一書，將細數賦予珍珠奶茶生命的種種歷程。

建構一座城市的詞彙有很多，但要詮釋一個詞彙背後所代表的一切，一本書的篇幅並不足夠，臺中學的主題還有待開發與擴充，但只要起步了，就會與這座城市的發展一樣，永遠都會是旺盛的。

「行動導讀」提供讀者一份新的閱讀體驗，傳統書籍也可以如此方便地做到：既有深度、兼具廣度。其特色既保持書本平面閱讀時的舒適感與質感，同步又能夠提供多面性的具象影音，使書的內容更充實、更能散播美感與價值。

行動導讀　這樣做──

1. 手機下載「行動導讀」APP（IOS、Android 適用）或瀏覽網站（http://www.dowdu.tw/）。
2. 輸入「書碼」：QR code 或 504415。
3. 查看「易導碼」（例如「(25)」），即可體驗閱讀中所延伸的豐富多媒體與影音內容。

·····················

前言

·····················

湖心漾開的容顏風華

在臺中縣市合併之前，原市區已有超過 250 座公園，而在縣市合併之後，總面積高達 2,215 平方公里，公園的數目更多了許多。但對於老一代的臺中人來說，若是提起「公園」一詞，而未在其前加上任何名稱時，那就單單是指「臺中公園」而言。

臺中公園是臺中市最早開闢的公園，和都市發展息息相關，在明治 41 年（1908 年）10 月 24 日「臺灣縱貫鐵道全通式」，正是在臺中公園舉辦，日本政府決定由載仁親王搭乘輪船來臺灣主持典禮。為了迎

接遠道而來的皇室親王，臺灣總督府和臺中廳的官員大費周章，不但將市區整頓一番，到處張燈結綵，還懸掛了不少「瓦斯燈」，讓市區在晚間呈現「一片光明」，而在臺中公園也搭設盛大的會場。

親王從臺中車站下車之後，一路搭乘馬車從市區來到臺中公園會場，而在會場更有超過一千人參與典禮。

透過媒體連日的大幅報導，盛大的典禮讓臺灣社會為之沸騰，不但讓跟隨親王前來臺灣參訪的日本各界人士留下極佳印象，而經過這一場典禮之後，也讓臺灣社會更加認識臺中市和臺中公園，更重要的是，這不但是一場盛大的典禮，使得大批的觀光人潮擁入，當時的臺中為迎接龐大的旅客，不但將現有旅館擴張，更鼓勵商人興建新的旅館，對於新開闢的市街，帶來不少商機。

自此之後，臺中公園的盛名遠播，而載仁親王在主持典禮期間的「御休憩所」，在典禮之後成為臺中知名的地標「池亭」（現名「湖心亭」），也成為日後遊客必到的景點，以現今流行語來說，這百年以來不知道「謀殺」了多少底片？

從百餘年前的盛大典禮，臺中公園的美好呈現在世人眼前，迄今依然風姿綽約、風采迷人，但在歲月的流逝下，卻增添了許多歷史的容貌，就像一道經過大廚細心烹煮的美食，值得我們細細品嘗。

第一章

城市的前身
沼澤密布的臺中市區

「湖心亭」等同於臺中公園，甚至是臺中市的精神象徵，臺中市政
府的府徽都是以此為概念繪製。

你眼中的臺中公園 (1)

對於臺中公園，你的印象是什麼？

每當筆者帶著團隊進行導覽介紹時，面對著一群又一群有意了解臺中公園的學員們，第一句話就會問大家：「對於臺中公園，你的印象是什麼？」

其實這句話不只問別人，筆者也經常會問著自己。在小時候，大約是四十多年前，每當長輩們在聊天、在閒談話語時說起了「公園」二字，那就一定代表著「臺中公園」，就像他們提到「百貨公司」時，即是指當時臺中市區最高樓層的「遠東百貨公司」一樣。

當時，臺中「原市區」的人口只有五十萬，以中區、西區為最主要商業區，西屯、北屯、南屯區大多為農田，而在北區、南區，也沒有什麼高樓大廈，卻有許多水田及菜園。

對於臺中市來說，臺中公園 (2) 就像是一顆鑲在皇冠上的寶石，閃閃發亮且明亮動人，這裡不但是老一輩的臺中人兒時的記憶，也是美麗與繁華的象徵，但這一切的一切，都隨時間的推移而有所改變。

改變的是時間，改變的是人們的印象。但臺中公園自始至終都沒有什麼改變，要說這些年來有什麼變化，大概是在商圈移轉、人們的娛樂方面改變之後，臺中公園變得有點老舊，有點滄桑，另外，在星期假日時，也多了許多外籍勞工。

就筆者而言，我對臺中公園的印象又是什麼？

我認為，這不但是臺中市第一座公園，也是一座「歷史垃圾堆」！

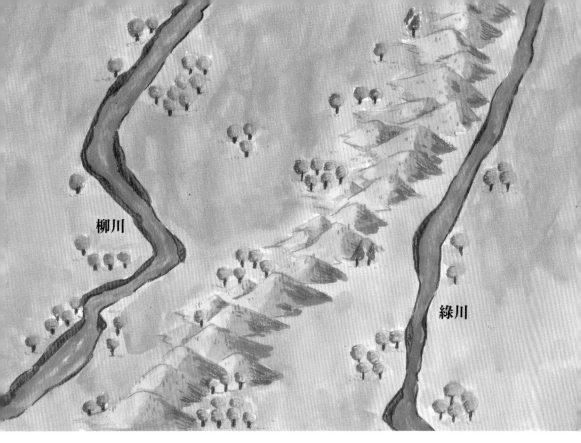

柳川

綠川

圖為臺中公園原始地形示意圖。綠川是臺中市人文發源地,流經臺中盆地形成低窪平原,於現今臺中公園一帶發展出市街。(蔡杏元／繪)

　　或許有人會不滿,抗議這種說法!但應該說得更仔細一點,才能表達完整的意義。臺中公園是一座臺中歷史的垃圾堆,千百年來,此處此地的各式各樣「廢棄物」,都被一股腦兒丟棄於公園內;然而,垃圾堆並非人人厭惡、唾棄,以考古學家來說,他們最喜歡挖掘以往人類生活的垃圾堆,這裡藏有許多物品,因被人丟棄而得以保存下來,經過後人仔細地挖掘、整理、研究,讓我們了解前人生活中的點點滴滴,甚至能拼湊出古早生活的樣貌。

　　臺中公園正是如此,從開天闢地的大墩、綠川牛軛湖開始,到遠

古時期（四千多年前）的人類遺址，以及後來漢人移墾時代的墳墓、更樓及臺灣省城的北門樓，最後，連日治時期的臺中神社 (3) 舊址以及戰後「臺灣燈會」的羊年燈，這些都是臺中歷史的各個時期「遺物」，代表了城市的歷史，也餘留著人們的記憶。

其實，臺中公園從明治 36 年（1903 年）設立以來，就一直為臺中市保留了過往的紀錄，如果你有空來此走一趟，就能發現這座臺中市「歷史」的垃圾堆，依然閃閃發光。

臺灣俗諺說：「上山看山勢，入門聽人意。」其意為做人要懂得看情勢變化，就像是到了山上時，要看懂山脈、河川走勢，才不會迷路；而到別人家中做客，也要細細體會主人所說的話語，從中得知其真意。

我們在談論臺中公園時，就像是「上山看山勢」一樣，要先從其地理方位、周遭環境以及山川走向來討論，進而建立一個基礎的概念，也才能從中了解為何公園要興建在此。

1980 年代臺中公園內的「大墩」，仍可看見其位置較附近地區高。

臺中的地理 (4) 到底是什麼？我們都知道，臺中位於「臺中盆地」內，這是一個盆地的地形。簡單來說，這個盆地有點像是西式甜點「蜂蜜凹蛋糕」的形狀，四周凸起的部分為山脈或是臺地阻隔，而凹陷地區則是盆地內部，其中河流密布、沼澤遍地。臺中公園位於盆地的中心地帶，而臺中盆地橫跨了臺中市、南投縣以及彰化縣等行政區域。

　　但是，這個蜂蜜凹蛋糕做得不太好，烤的時候有點失敗，北邊比較高而南方比較低，如果拿著刀子切開，蛋塔內濃濃的汁液就會往南邊流動，這也就是說，臺中盆地的河流多為由北向南流去。

　　想像一下沒有任何建築物的臺中市區，那是在四千多年前的古老時代 (5)，人類的蹤跡可能只及於臺中盆地的邊緣地帶，而在現今的臺中市中心，則為沼澤密布的溼地，其中不乏參天大樹矗立其間，梅花鹿、野豬、石虎、狐狸、麝香貓、果子狸、穿山甲等動物在此生活，但由於地勢北高南低，在傾盆大雨或是颱風來襲時，洪水將以橫掃千軍般的氣勢，貫穿整個平原地帶。

　　經年累月以來，只要雨勢一大，盆地內的河川到處竄流，無法形成主要的河道，卻蔓生出沼澤遍地，易於蚊蠅繁衍孳生，不利於人類居住。從目前考古上的發現，我們可推測在四千年前左右，人類可能因人口繁衍過多或是追捕獵物，從西屯一帶的近山地區移居到臺中盆地的中心地區此處，其中包括在臺中公園內的「東大墩」丘陵，也有人類居住的遺跡。

臺中盆地北起大甲溪南岸，與后里臺地相望，南至濁水溪北岸地形，呈現南北高、中間低。（蔡杏元／繪）

大安溪

大甲溪

大肚溪

濁水溪

宛如蜂蜜凹蛋糕的臺中盆地

臺中盆地 (6) 的面積約有 380 平方公里，依據目前的行政區域，盆地橫跨了臺中市、南投縣以及彰化縣，盆地的地形為北高南低，正如前所言，這樣的地形宛如西式甜點的「蜂蜜凹蛋糕」，中間凹陷而四周隆起。以臺中盆地來說，四周較高的山脈或是臺地就像蜂蜜凹蛋糕外圍，其北方為后里臺地、東方為頭嵙山地、南方為八卦臺地、西方為大肚臺地，大肚溪 (7)（上游為「烏溪」）從其間貫穿，如同刀子切開蛋糕一樣，由八卦臺地與大肚臺地間切割出河道並直流奔海。

就臺中盆地四周的高度來看，東方的頭嵙山地最為高聳，不但山脈陡峭、坡度頗大，主峰高度還達到 859 公尺，且其平均高度在 400 公尺左右，但后里臺地、八卦臺地以及大肚臺地的地勢較低，坡度較平緩，最高峰分別只有 270 公尺、443 公尺以及 307 公尺。因此，臺中盆地的北端（豐原）約有 260 公尺，往南愈來愈低，到了臺中市南區與烏日區交界處，只剩下 30 公尺，地勢極為平緩，但河流也都是由北向南。

由於河流都是從北向南，在經年累月的沖刷下，地形逐漸平緩，但形成了數個小丘陵，其後移居此地的漢人將這些小丘陵稱為「墩」，並以此為地名，因而在臺中一帶即有「東大墩」、「西大墩」、「葫蘆墩」、「墩仔腳」等名稱，但是，這些小丘陵比附近平原高出不多，以「東大墩」來說，最高點的海拔為 89.4 公尺，至於附近的「干城」一帶，海拔約為 80 公尺。

🏠 郁永河筆下的古早臺中

　　史前時代的臺中市區與現今應該是截然不同，但目前並無任何相關紀錄或口述資料。康熙 37 年（1698 年）時，奉命來臺採硫的中國籍人士郁永河 (8) 在其《裨海紀遊》一書曾提到，他經過大肚臺地西側的「牛罵社」（今臺中市清水區）時，冒險登山遠眺臺中市區，想一睹山後的臺中盆地情景。郁永河如此寫道：

　　想到未歸化的野番橫行，這座山成為保護的憑仗，但不知道山後的深山，到底是什麼樣子？我打算登山遠眺。然而住在牛罵社的原住民對我說：「野番常常躲在林木中射獵梅花鹿，看見人類接近，會以弓箭加以攻擊，千萬不要去呀！」我笑了笑沒有理會，手裡拿著一根木杖，披荊斬棘、撥草而行，一路爬上最高峰。在最高峰的地方，只看見荊棘、雜草糾結在一起，讓我的腳無處可踏，而上方的樹林好像刺蝟的刺毛一樣，枝葉生長茂盛，將白天的陽光都遮住了。我向上仰視天空，好像是在井中觀天一樣，只看見一個小圓弧而已，雖然眼前還有山，但巨樹密林擋住了視線，根本都看不見了。

　　樹上還有野生的猴子跳來跳去，對著我嘶叫，好像是老人咳嗽的聲音，又有老猴盤腿而坐，身長好像五尺高的小孩，對我怒目而視，此時冷風吹過林梢，簌簌作響，讓我感到絲絲寒意，雖然聽見附近有瀑布流水之聲，卻始終找不著，就在這個時候，一隻長蛇從我的腳踝爬了過去，讓我心中感到恐怖，只好下山返回。

（原文：念野番跳梁，茲山實為藩籬，不知山後深山，當作何狀，將登麓望之。社人謂：『野番常伏林中射鹿，見人則矢鏃立至，慎毋往』！余頷之；乃策杖披荊拂草而登。既陟巔，荊莽樛結，不可置足。林木如蝟毛，聯枝累葉，陰翳晝暝，仰視太虛，如井底窺天，時見一規而已。雖前山近在目前，而密樹障之，都不得見。惟有野猿跳躑上下，向人作聲，若老人欬；又有老猿，如五尺童子，箕踞怒視。風度林杪，作簌簌聲，肌骨欲寒。瀑流潺潺，尋之不得；而修蛇乃出踝下，覺心怖，遂返。）

　　郁永河是在康熙37年（1698年）農曆4月17日（國曆為5月26日）來到臺中清水一帶，當時節氣已過「立夏」，而他登山時卻仍有「肌骨欲寒」的感覺，顯見當時樹林相當茂密、陰鬱，才會讓他有寒冷的感覺。而他所抵達的「牛罵社」，當時已歸服清廷，社址位於清水區西社里一帶，也就是現今清水市中心的火車站附近。

　　從地理位置來看，郁永河攀登的山應該是清水市區東側的大肚臺地，依據現今地圖測量，他從清水市中心爬上東側的大肚臺地，最高點正是現今清泉崗機場一帶，海拔約兩百多公尺，直線距離約五公里左右。而此所謂的「野番」，應該是住在大肚臺地東側的「巴宰海族 (9)」（Pazeh），他們控制現今豐原、后里一帶，在郁永河來臺時尚未納入大清帝國管轄，直到康熙55年（1716年）才歸順。

　　郁永河雖然只到達臺中盆地的邊緣山區，然而在其紀錄中，我們

臺中市西區後龍里均安宮旁的「千年茄苳樹」，在當地被視為「茄苳樹王公」神明祭拜，是臺中市樹齡最老的樹。

稍微能感受到當時的情況。臺中市區不只巨樹參天，還有未歸化的原住民居住於此，正是所謂草萊未開的景象，直到康熙49年（1710年）左右，漢人開始進入臺中開墾，將大樹砍伐、丘陵夷平，改變了地形、地貌，目前位於臺中市西區後龍里均安宮旁的「千年茄苳樹 (10)」，應該是少數被留下的巨木，見證了史前時代臺中的歷史。

古早地形如今留下的註腳

在漢人移民、墾殖之前，「東大墩」丘陵尚未被破壞，其範圍大約在現今的綠川 (11)與柳川 (12)之間，北邊從臺中一中的北端向西南延伸，直到三民路一段與南屯路交叉口，南北約有三公里長，東西則不到一公里寬，但因後來漢人移居墾殖並開闢田野，破壞原有地形、地貌，清代末期則在此興建臺灣省城，日治時期之後又展開多次都市計畫，將較高之處剷平，而低窪之處則填平，「東大墩」丘陵的地形、地貌遭到嚴重

破壞，只剩下臺中公園的高墩
留存，而此處又正好是「東
大墩」丘陵的最高點，成
為一座孤丘。

　　「東大墩」丘陵範
圍大約在現今的綠川與
柳川之間，等於是這兩
條河川的分水嶺，在河川
長期的侵蝕下，在現今臺中
公園附近形成一個「牛軛湖」
（Oxbow Lake）是由於河流的變遷或
改道，曲形河道自行截彎取直後留下的舊河道形成的湖泊，其湖泊呈
現彎月形且湖水並不深。

　　據說在日治初期進行臺中都市計畫時，在現今自由路一帶曾經挖
掘出大量的巨木，這顯現出在史前時代的臺中市區與現今截然不同，
應該是巨樹參天的情景，而「東大墩」丘陵兩側的河川竄流，形成沼澤、
牛軛湖等低窪地形，加上當地的地下水位較高，不時會有湧泉冒出，
因此，水源算是相當豐富，也吸引人類前來居住。

　　在日治初期，日本政府進行臺中都市計畫，除了將舊有的臺灣省
城拆除外，並規劃棋盤式街道，興建官廳、學校以及火車站、市場以
及公園等現代化公共設施 [13]。但有關公園的興建計畫，早在明治 28 年
（1895 年）到明治 29 年（1896 年）間，擔任「臺灣民政支部長」的

兒玉利國即已規劃，明治29年（1896年）8月，臺灣總督府聘任英國籍的威廉‧巴爾頓[14]（William Kinninmond Burton，1856年～1899年）擔任衛生工程顧問技師，在臺灣各地從事衛生調查及水道（自來水）建設[15]之調查工作，而其學生濱野彌四郎[16]亦被聘為衛生工程技師，負責協助巴爾頓調查，並在同年11月提出《臺中市街區劃設計報告書》，

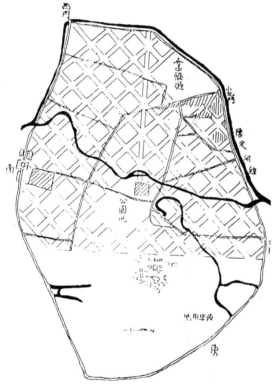

1900年時，根據巴爾頓以及濱野彌四郎提出的《臺中市街區劃設計報告書》，重新規劃的臺中市街。右上為巴爾頓，右下為濱野彌四郎。

N

臺中公園

光明國中

大墩路

1908 年的臺中市街道圖，已呈現棋盤式街廓。

其中除了建議將新設街道外，也規劃興建公園，以符合現代都市之需。

明治36年（1903年），臺中公園確定興建於「東大墩」旁，其西方及南方即是漢人的「東大墩街」（當時已正式命名為「臺中」），依據地形、地貌，將公園內的「牛軛湖」挖大及挖深，成為公園內的「水池」，而其地下水得以湧出，以提供水源。至於其所挖掘出的泥土，則作為填平公園北側河道以及沼澤地之用。

臺中公園的「牛軛湖」變成了水池，這是將原始面貌加以整治而成，而原先的河川也挖深河道並截彎取直，其後被命名為「綠川」，水池的池水則會流入綠川。依據大正15年（1926年）的資料，當時水池面積為4,114坪，與現今所差無幾，但因臺中市在百餘年來人口持續成長，高樓大廈愈來愈多，致使地下水位下降，目前公園內的「水池」已經沒有自然湧泉，必須打井抽水，才能維持足夠的水源。

濱野彌四郎（1869年～1932年）

畢業於東京帝國大學，在明治29年（1896年）時跟隨其老師巴爾頓來臺灣擔任土木部技師，明治32年（1899年）開始規劃臺灣各都市的上、下水道的建設，期間長達23年，陸續完成基隆、臺北、臺中、臺南等臺灣主要都市的水道計畫，被稱為「臺灣水道（自來水）之父」，目前由奇美企業創辦人許文龍捐贈下，將其半身雕像放置在臺南市山上區淨水場，以作為紀念。

🏛 日月流轉下的日月湖面貌

水池是臺中公園 (17) 的重要景觀，目前被命名為「日月湖 (18)」，除了占地廣闊外，並構成公園內亭臺樓閣、小橋流水等景致，而從日治時期開始，水池還能提供「特殊」用途。

● 出租船艇

在日治時期的老照片中，已經發現有不少插著日本國旗的小船停靠在水池邊，顯示當時即有出租船艇的業務。大正 8 年（1919 年）3 月 28 日《臺灣日日新報》一篇名為〈公園內之舟遊〉報導，記載了早在臺中公園興建之初即有水池，並由管理單位放養鯉魚、草魚等淡水魚類，而在大正 8 年（1919 年）3 月間，有人在公園的水池中放了三艘小艇，供人遊樂及垂釣之用，後來遭到管理單位的禁止，於是又有人陳具申請狀，向臺中廳申請租用臺中公園內的水池，以作為遊樂及垂釣之使用，後來在當年 6 月間獲得許可，得以在臺中公園內的水池經營釣魚事業，但仍不准在水池內划船。

直到昭和 2 年（1927 年）3 月間，有業者向臺中市役所接洽而獲得允許，承包了臺中公園水池的養魚及划船事業，從當年 5 月 1 日起開始營業，而業者準備了大、小兩種船隻以供遊客選擇，大船每半個小時收費 40 錢，至於小船則是每半個小時 25 錢，迄今為止，此一業務仍由一位林姓業主來經營。

1950 年代新婚夫婦蜜月旅行到臺中公園划船。

　　依據林姓業者的說法，其父親林益彰為臺中市東區一帶的仕紳，並曾經擔任東區區長職位，在日治時期，此一出租船艇的業務由日籍人士「阿部」承攬，然而到了戰後，日本人遭到遣送，林益彰從日人「阿部」手中取得此一權利，得以繼續經營至今。

● 釣魚池

　　在日治時期，公園的水池內已放養淡水魚，並供人垂釣，以收取費用來補貼公園所需經費，目前得知最早的開放垂釣時間是在大正 8 年

1943 年《臺灣新聞報》上刊載在臺中公園湖邊釣魚的軍人。

（1919 年）6 月 1 日，以時間計費，每小時收取 50 錢，而此一情況在戰後仍然持續，尤其是取得出租船艇權利的林姓業者，也在水池內放養草魚，據說收穫相當不錯。後來，部分臺中市議員認為水池是屬於市府所有，讓業者在此養魚出售，已是「圖利」他人，在 1972 年經由臺中市議會決議，將水池的「經營權」交給臺中市義消大隊使用，由義消們在此放養草魚等淡水魚，並開放給民眾垂釣。

　　沒想到前來垂釣者的釣鉤，經常勾住在水池上的船艇，讓民眾發生口角衝突，而且垂釣者也會亂吐檳榔，造成公園髒亂，最後在 1979 年時，市議會決議禁止民眾在公園水池釣魚，才化解爭議。

● 消防用水

由於水池是臺中市區的蓄水之處，若是發生重大火警，消防車的水源不足以滅火，就會來此抽水，筆者曾經訪問居住於當地的前臺中市長張溫鷹，據她回憶，在 1977 年 9 月間，位於中區一帶的「遠東百貨公司」發生大火，當時正值晚間，消防隊一直灌水搶救，最後消防車的水都用光了，大家想到可以拉一條水管到附近的臺中公園水池，直接使用池水，結果一個晚上下來，大火終於熄滅，而臺中公園的水池幾乎乾涸，裡面所飼養的魚全都聚集在淺水區，不少人利用凌晨時分，到公園捉魚來打牙祭。

目前，公園內的水池已經不再作為消防使用，並規定禁止釣魚、游泳，從 2015 年起，也開始進行清除汙泥、底泥的工作，希望能將水池的水質保持固定，不再汙濁、發臭，提供民眾更好的休憩環境。

第二章

先民留在臺中公園的腳印

牛罵頭文化的發現

前一章節曾經提及，清代康熙年間（1698年）郁永河曾經到達臺中盆地的大肚臺地邊緣山區，卻因感到恐懼，未曾進入現今的臺中市區。從郁永河的紀錄中，不難發現在史前時代的臺中市區，與現今景觀應該截然不同，雖然目前並無任何相關紀錄或口述資料可供參考，但透過考古的挖掘，讓我們慢慢了解先住民在此生活的狀況。

目前在臺中公園的土地上，保存了史前時代人類的遺址與遺物，迄今我們在公園內漫步，若是稍微留意一下腳下的土地，有時還能發現數千多年前的陶片，或是百餘年前先民所遺留的青花碗盤碎片，而這一切的一切，都要從一棟廁所的興建來說起。

臺中公園內發現的清代晚期青花瓷器碎片。

考古遺址上的五星級廁所

在2004年6月9日，《中廣新聞》記者賴淑禎有一則〈臺中公園興建五星級廁所工程發現疑似遺址陶片〉報導，現摘錄部分內容如下：

臺中市府交通局在臺中公園興建一處五星級廁所，最近幾天進行地基開挖，赫然發現一些陶片，相關人員前往實勘，初步認為可能是距今三、四千年前的「牛罵頭文化遺址 [19]」，而交通局也緊急通知施工單位停工，靜待考古學者進行鑑定。

左圖為興建於臺中公園內的「五星級廁所」。右圖為「五星級廁所」指標。

　　根據臺中公園地緣因素及民眾需求，市府交通局在音樂臺附近規劃興設一處仿田園造景的現代化公園，占地一百多坪，而這處公廁興設工程最近開始整地挖地基，不料才挖了一米半深，就發現一些出土陶片散落一地，而且陶片上還有繩紋狀的特徵，跟三、四千年前，牛罵頭遺址文化相當接近，臺中市府交通局長林良泰指出，已經通知施工單位全面停工，靜待考古學者作進一步鑑定。

　　而對於這起臺中公園豪華公廁興建案，臺中市府交通局也強調，都是經過合法申請，取的建照之後，才開始施工，當時並不知道這裡可能有遺址出現。

其實，這則報導只是寫出了部分的情況，筆者當時曾經協助考古學者進行協調，讓市府同意暫時停工，以便搶救遺址。以目前的資料來看，學界早在 1920 年代就知道臺中公園內有一處人類的遺址，卻從未進行挖掘工作，只是由考古學者撿拾地面上的陶片、石片器等物品。

其實，臺中公園考古遺址最初由知名的日本人類學家森丑之助所發現 [20]，他在明治 38 年（1905 年）於臺灣總督府博物館 [21]（現今「國立臺灣博物館」）任職標本採集員，曾經來到臺中市，憑著專業的知識，斷定臺中公園內曾是人類的遺址，而這項發現，在昭和 5 年（1930 年）為鹿野忠雄 [22] 在《史前學雜誌》第二卷第二號的〈臺灣石器時代遺物發見地名表〉一文中，記錄此為「臺中神社遺址」，並指明出土有夾砂

森丑之助（1877 年～ 1926 年）

明治 28 年（1895 年）9 月以「通譯」身分來到臺灣，當時他只有 18 歲，來到臺灣之後，對於臺灣原住民相當感興趣，因而長期自費到山地探查，不但多次走遍臺灣山區，並於明治 33 年（1900年）登上了玉山主峰。大正 4 年（1915 年）5 月間，布農族拉荷・阿雷引發的「大分事件」，造成 12名日籍警察死亡，也讓布農族人遭到日本政府鎮壓，而森丑之助倡議非鎮壓式的理番事業以及原住民自治等主張，不獲得日本政府認同，大正 15年（1926 年）7 月他搭船返回日本途中，在海上離奇失蹤，官方判定是跳海自殺。

繩紋陶、打製斧鋤形器、石片器等，目前這批標本收藏在國立臺灣博物館內。

至於森丑之助是在何時所發現？目前無法確定，只知道他在明治33年（1900年）時，曾經到當時任職於「臺中縣殖產課」的日本人士小西成章之住處，居住過一段時間，接著又在明治35年（1902年）以及明治44年（1911年）時，於《東京人類學雜誌》發表文章，登錄臺灣的一百多處考古遺址，然而其中沒有提到臺中神社遺址。直到大正15年（1926年）時，森丑之助因自殺而過世，其間也沒有留下任何有關臺中神社遺址的資料或紀錄，因此，臺灣考古學界推測森丑之助應該是明治44年（1911年）到大正15年（1926年）之間前來臺中市，並在臺中公園發現遺址，但在其自殺身亡之後，才由鹿野忠雄在昭和5年（1930年）時發表。

除此之外，由日籍人士氏平要、原田芳之於昭和8年（1933年）合著的《臺灣省臺中市史》一書，記載在明治41年（1908年）時《大阪每日新聞》社長本山彥一到臺中市參加「臺灣縱貫鐵道全通式」（臺灣西部鐵道通車）典禮時，看到臺中神社所在的東大墩丘陵有「疑似遺址」，而且在大正14年（1925年）8月，又在山麓挖掘出土三個「打製石斧」。

從鹿野忠雄的報告以及《臺灣省臺中市史》的紀錄，可知至少在昭和5年（1930年）之後，考古學界以及臺中市政府都已經知道臺中公園內的遺址，還將其命名為「臺中神社遺址」。到了1995年，中央研究院歷史語言研究所發表《臺閩地區考古遺址》調查報告，表示臺中

公園早年在興建人工湖、兒童遊憩設施時，遺址已有相當大的面積被破壞了；而在 2003 年時筆者受到臺中市政府文化局委託，撰寫《臺中公園百年風華》一書時，曾經到臺中公園勘查遺址現況，在大墩孤丘旁發現一只石片器，並於臺灣燈會「羊年花燈」下方找到不少陶片。

幸好，國立自然科學博物館人類學組為了籌備「古早臺中人」特展至公園拍照，碰巧看見大批文物被挖土機挖掘出來，立刻展開搶救工作。

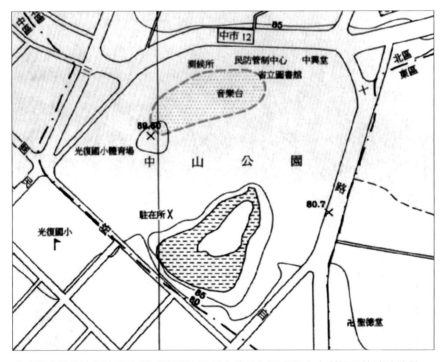

中央研究院歷史語言研究所《臺閩地區考古遺址》調查報告中所標示的遺址地點。

🏠 搶救城市中的先民足跡

科博館人類學組為了籌備「古早臺中人 (23)」特展，研究人員屈慧麗等人到臺中公園拍照，赫然發現市府交通旅遊局在「五星級廁所」的預定地上挖出大量繩紋陶片，立刻通知筆者，並馬上聯絡當時臺中市議員黃國書以及立委李明憲到場。就在此時，主管機關臺中市政府文化局官員也到場，在 2004 年 6 月 14 日當場要求暫時停工，由科博館考古人員入駐。

當時臺中市政府交通旅遊局同意由科博館人類學組在公園內公廁預定地進行挖掘，期間從 2004 年 6 月 15 日至 7 月 14 日止，進行為期一個月的搶救發掘。總共進行六個探坑的搶救發掘。根據科博館的統計，此次所得文化遺物相當豐富，其中繩紋陶器登錄的標本 5,000 件（包括三連杯、陶罐、陶缽、陶盆等），石質標本 138 件（包括有刃的石片器、磨製石刀、無刃的石錘、砥石、石材、石坯及石廢料等），目前已放置在科博館內保存。

之後，科博館將臺中公園的碳標本送至美國佛羅里達州貝它實驗室做碳十四定年，發現年代可達 4,400 年至 4,100 年；另外又將陶片送到中國廣州地科所做熱釋光定年，得到的結果為 3,010 年加減 240 年。最後推斷臺中公園遺址是以繩紋紅陶、素面紅陶為主，屬於中部地區的「牛罵頭文化 (24)」。

根據目前的研究顯示，中部先住民至少有三個不同的階段 (25)，首先是距今 4,500 年到 3,000 年前的牛罵頭文化人，其次是距今 3,000 年

到 1,300 年前的營埔文化人，接著則為距今 1,300 年到 450 年前的番仔園文化人，最後才是漢人移民來之時所看見的平埔族人。

這個結論顯示約在三、四千年前，居住在現今臺中公園一帶的史前人 (26)，而整個牛罵頭文化分布的範圍可以西從大肚臺地（龍井區龍泉里、大肚區頂街里）、八卦臺地（烏日區下馬厝、彰化市牛埔里）沿筏子溪兩岸（安和路、惠來里、鎮平里、西墩里）到臺中盆地內及東緣（臺中公園、軍功公墓、太平內城等），均有繩紋紅陶分布。科博館人類學組推測，牛罵頭文化期的先民分布在海岸與河湖沿岸外也逐漸向丘陵極低海拔地區遷移，其以農耕為主，漁撈和狩獵為輔，而在中部的牛罵頭文化期遺址中，以位於西屯區的「西大墩遺址 (27)」（2011 年為臺中市政府公告為「市定遺址」）最為精采，不但面積達數萬平方公尺，顯示其聚落分布範圍廣大，且因以農耕為主的生活方式，可讓人口快速增長，並創造出精美的物質財富，而遺址中出土玉器包括玉梳、玉矛等，都是從臺灣東部輾轉運送載來，製作相當精美，陶器中的「三連杯」更是祭祀所使用，代表當時具專門化的手工業，被推測當地可能是筏子溪側牛罵頭文化期的政治或信仰中心。

從考古的發崛中，我們可以得知在三、四千年前的史前人類應該是從海岸逐漸往臺中盆地移動，越過大肚臺地之後，先在筏子溪 (28) 兩岸聚居，並形成「西大墩遺址」等較大部落，而在人口增加下，有些人又再度移居到附近水源豐沛之地，在臺中公園一帶，正是這些移居者所選定之地域。

上圖：「五星級廁所」施工現場發現遺
　　　址。
卜圖：當時的臺中市議員黃國書（現任
　　　立委）前往現場關心。

臺中市區的遺址分布圖。（屈慧麗提供）

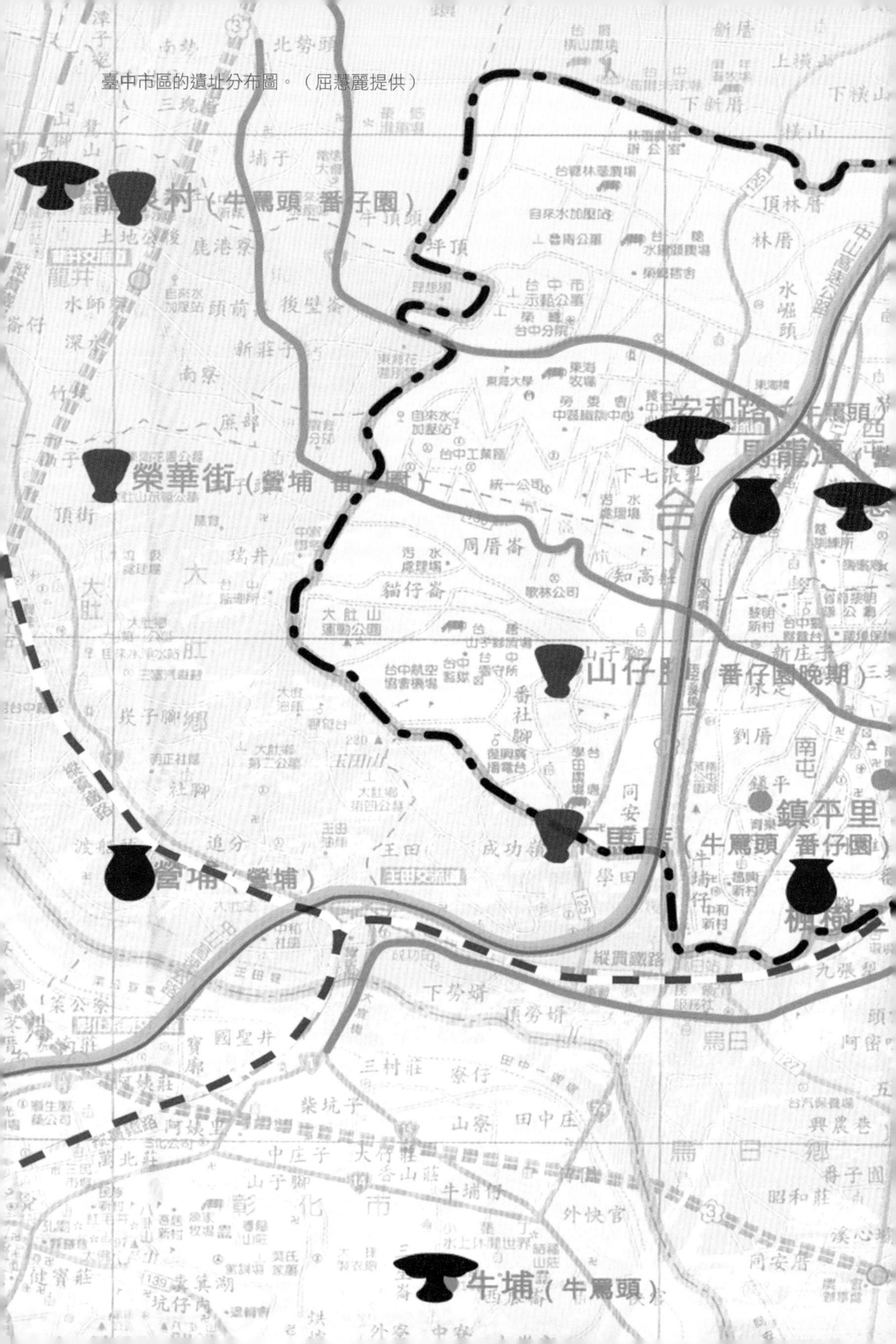

臺中公園大墩旁所發現的「素面紅陶」。

臺中公園大墩旁所發現的「粗繩紋」陶片。

原來考古離我們這麼近

　　臺中公園的牛罵頭文化原本稱為「臺中神社遺址」，但神社早已不存，目前被改名為「臺中公園遺址」。經過 2004 年的搶救挖掘之後，確定臺中公園遺址是以繩紋紅陶、素面紅陶為主。繩紋紅陶可說是臺灣各史前文化在地域上分布最廣的製作樣式，又分粗繩紋陶與細繩紋陶期，而臺中公園遺址出現的粗繩紋陶較多，被認定可能是介於大坌坑文化的晚期與牛罵頭文化的早期階段。

　　目前搶救範圍只有針對「五星級廁所」的預定地，但科博館在製作《臺中公園遺址報告》中，請來了國立臺灣師範大學地球科學系教授鄭懌，帶領研究生在花燈區及測候所外做磁力及透地雷達偵測，並由地

大坌坑文化

臺灣屬於新石器時代的文化中最早的一層，最早是在 1958 年時於新北市八里區埤頭里一帶發現，遺址的年代在距今約 7,000 年至 4,700 年前之間，目前得知在臺灣的大坌坑文化的遺址，包括新北市的大坌坑遺址、臺北市的芝山岩遺址、臺南市的南關里遺址與八甲遺址、澎湖縣的菓葉遺址、高雄市的鳳鼻頭遺址、臺東縣的長光遺址等。

牛罵頭文化

臺灣的新石器時代文化之一，在昭和 18 年（1943 年）時，由日本學者國分直一在大肚臺地西緣及大肚溪北岸進行考古調查時所發現，遺址的年代約在距今 4,500 年前至 3,000 年，從出土的陶器的特色中，可看出承續了大坌坑文化，而且出土的大量石製農具，可看出當時應是以農耕為主。

表採集，發現由公園北側的羊年花燈區至精武路附近，以及在自由路思恩堂附近都有發現繩紋紅陶。因此，科博館《臺中公園遺址報告》中建議整個公園應是遺址範圍，未來若有公共工程施工時應通知有關單位監看，以免破壞遺址。

然而，2008 年 8 月臺中市政府警察局第二分局斥資 2,000 萬元在臺中公園內，興建一棟嶄新的「公園駐在所」，但因通報有所疏忽，致使考古學者未能先行試崛，以了解建築預定地上是否有重要文物，2010年完工啟用之後，考古學者才發現此事。

目前臺中市政府已指定七處遺址為「市定古蹟」，而「臺中公園遺址」只被文化局列為「列冊遺址」，但考古學者屈慧麗等人都認為，「臺中公園遺址」為中部地區牛罵頭文化轉向臺中盆地擴散的代表性遺址，而且位於市有土地之內，再加上部分土地經過初步探測，都有機會

發現更多的文物，因而建議提升為「市定遺址」。

　　筆者經常在臺中公園帶領導覽活動，每當和學員們走過羊年花燈旁的大榕樹時，都會介紹「臺中公園遺址」的來龍去脈，然後不經意地蹲下身來，從地上撿起一塊陶片，告訴大家這是三、四千年前人類所使用過的遺物。此時，絕大多數的學員莫不驚訝失聲，大家除了感嘆臺中公園的豐富遺產外，並紛紛低頭找尋，還有人說：「原來，考古離我們這麼近！」

　　「臺中公園遺址」位於市中心的都會地區，鄰近皆是高樓林立，我們可以在都市裡親眼看見這些散落於地面的文物，追思三、四千年前人類在此生活的方式，而這裡，將讓我們距離臺灣歷史愈來愈近。

······

第三章

······

漢人移民在臺中公園的生與死

大墩的砲臺與墳場

三、四千年前的牛罵頭文化人為何會選擇住在臺中公園的大墩旁？這應該是大家的共同疑問。但我們將歷史的軸線拉開，發現不只有「新石器時代」的人類對這裡有興趣，將住家建於此地，連後期的漢人移民前來臺中開墾時，也選擇在此地居住，最後還建立了名為「大墩街」的街市。

　　人們在此生存繁衍，起家立業，甚至開墾田園，前後雖相差三、四千年之久，文化形態也相當不同，卻對於居住地點的選擇，沒有變更。當我們回到那遠古的過往，去了解當時人們如何生活，或許能從中看見一絲線索、發現一些端倪，更能了解以往人類的生活形態。

　　在草萊未開之際，新石器時代的人類進入臺中盆地居住，除了要擔心生計問題之外，也要煩憂居住問題。從目前所得知的情況來看，「牛罵頭文化 (29)」時代的人類以農耕以及漁獵為主，而現今臺中公園的大墩，正好是綠川、柳川的分水嶺，並因地形關係，綠川在此處形成牛軛湖，人類選擇居住於此，除了有豐沛的水源可供農作以及生活使用之外，兼有漁獲之利。

　　但在當時，綠川、柳川尚未進行人工整治，河道並不固定，只要洪水一來，即成汪洋一片，而且河道時常變化，生活於此地，人們為了躲避洪水，一定會選擇住在較高的大墩上，以保護自家生命以及糧食的安全，避免遭受洪水的侵襲。

　　後期來到此地的漢人，也是在同樣的思維下，選擇了住居所在。漢人聚落主要是依峙著大墩附近地勢較高的地方來興建，之後人口漸增，即成為街市，稱為「大墩街」；到了清代中葉，現今西屯一帶也有

漢人聚落形成，同樣也在一處名為「大墩」的土墩旁，此時為了區隔起見，位於臺中公園的街市被稱為「東大墩街」，而位於西屯的街市則為「西大墩街」。

就在漢人移墾之時，臺中公園的大墩的「用途」也有所改變，功能變得更多了，尤其在時代的變遷下，軍事以及生活上的用途，逐漸改變了大墩的樣貌。

捍衛地盤的砲臺山

依據乾隆 5 年（1740 年）的《重修福建臺灣府志》記載：「彰化貓霧捒巡檢一員：雍正九年新設，稽查地方。」

為何清廷在 1740 年時，於彰化貓霧捒設立「巡檢」？這起因於雍正 9 年（1731 年）的一場戰爭。在當時，臺中一帶屬於原住民道卡斯族的「大甲西社」，因不滿清廷官吏經常指派勞役過多，造成民力難以應付，因而由「林武力學生」為首的原住民，群起反抗清政府，而其他各社原住民也加入抗爭，一時

1836 年的《彰化縣志》中的「彰化山川圖」，可以看見「貓霧捒汛」等地名。

之間，臺灣中部地區風聲鶴唳，最後清廷也派兵來臺，以武力鎮壓，造成許多傷亡，史稱為「大甲西社事件」。

　　由於此次的戰亂影響極大，造成現今臺中、彰化一帶嚴重破壞，清廷為了確保統治，即在彰化貓霧捒設「巡檢署」，而其駐紮地點位於當時屬於彰化縣所轄的「犁頭店 (30)」（臺中市南屯區南屯里），讓軍事力量進入臺中一帶。

　　汛塘制度是中國明清時期的基層軍事單位或駐地，而「巡檢」為「汛」的首領，官階很小，只是一個九品芝麻官，底下頂多只有十多名兵丁。清廷在乾隆 5 年（1740 年）於犁頭店設立「巡檢署」，正是屬

彰化縣

在明鄭時期，漢人尚未到現今彰化一帶開墾。康熙 23 年（1684 年），清廷派兵攻下臺灣，在今臺南市設立「臺灣府」，隸屬福建省，下設臺灣、鳳山、諸羅三縣。雍正元年（1723 年）因來臺移民開墾人數增多，決議在諸羅縣境內另設新縣，最後以虎尾溪以北、大甲溪以南設立新縣，取「彰顯聖化」之意，命名為「彰化」，並以半線（今彰化市）作為縣治所在地。

汛塘

依據李元春《臺灣志略》記載，設弁帶兵曰「汛」，僅安兵者曰「塘」。清代臺灣地方統治最末梢的機構，在數量上也最多，但如何有效地布署營兵，以達平時防治盜匪，戰亂時又能靈活調度的功用，是清廷考慮的重要課題，在平定臺灣之初，大多將官兵配置在重要道路的交通要衝上，也就是在這些地點設立汛塘。

於汛塘層級，因而在當時的臺中一帶，官府的軍事力量還是相當薄弱，平時只能維持治安，對於大型的戰亂則需另外調兵遣將。

　　乾隆 51 年（1786 年），「大里杙」（現今臺中市大里區）的林爽文率領「天地會」群眾抗清，臺灣鎮標中營游擊耿世文率軍抵達「大墩」紮營，要求「大里杙」之仕紳交出林爽文，否則將進軍當地並加以屠村報復，沒想到林爽文的部下王芬等人糾集數千人，利用晚間猛攻大墩，一夜間即破營盤，耿世文等人遭殺害。道光 10 年（1830 年）的《彰化縣志》有此記載：「耿世文，貴州人。乾隆四十九年任臺灣鎮標中營游擊。五十一年十一月奉委帶兵三百人，來彰剿捕會匪林爽文等。二十七夜，駐大墩。是夜，賊目劉升、王芬等，率眾攻陷大墩，世文與副將、知縣，及兵役五百餘人皆遇害。事聞，予卹賜祭世襲，祀昭忠祠。」

　　而《彰化縣志》也記載，清代乾隆年間林爽文事件 [31]，抗清戰役

林爽文（1756 年～ 1788 年）

原籍中國福建省漳州府平和縣人，年幼時隨父親移居臺灣府彰化縣的大里杙（今臺中市大里區），乾隆 49 年（1784 年）加入天地會，家中豪富且為人正義，遂成為彰化地區天地會首領。乾隆 52 年（1787 年）1 月間，臺灣府知府孫景燧取締天地會，先行逮捕林爽文之叔伯，並派軍進駐大墩，要脅林爽文出面投案，但林爽文率軍反抗並攻下彰化，隨之大舉進軍，攻下臺灣西部大部分的市街。清廷於 1787 年 12 月派陝甘總督大學士福康安率軍渡臺，從中部的鹿港上岸，與林爽文陣營戰於八卦山，最後林爽文敗走集集、水沙連（今南投縣魚池鄉）山區，1788 年 2 月 10 日被捕，擒至北京凌遲後斬首示眾。

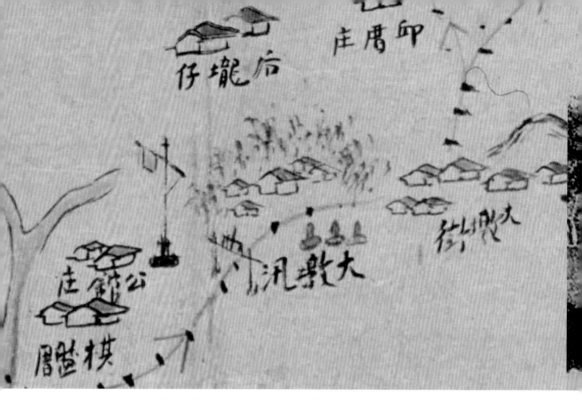

中央研究院館藏的清代手繪地圖中，已標示「大墩汛」之名稱。

正是從攻陷「大墩」開始。大墩位於貓霧捒之中央，後來清廷派任正四品的「都司」駐紮於此，但後來都司回任於彰化縣城，改派六品的「千總」來駐防，因其地處要津，武官率領兵丁在此，可以扼守中央，以防止叛亂發生。

（原文：如乾隆丙午，林爽文之亂，自陷大墩始。大墩居貓霧捒之中，昔嘗以都司駐箚於此。其後都司隨標縣治，改用千總駐防，所以重首禍，扼中權也。）

從中可以了解，在林爽文事件之後，清廷開始重視大墩的軍事地

日軍在「干城」興建大型軍營，即為「臺中分屯大隊」。

位，派出「正四品」（都司）的高階武官來駐守，後來回復原編制改派千總。又根據《彰化縣志》記載：「貓霧捒汛（兵房二十二間）：千總一員（駐大墩），外委一員，戰守兵八十五名。」可見得在林爽文事件之後，貓霧捒汛已由原來的犁頭店遷移到大墩。

　　道光 13 年（1833 年），閩浙總督祖洛將「貓霧捒汛」改名為「大墩汛」，而目前中央研究院館藏的一張清代手繪地圖中，已清楚標示「大墩汛」之名稱，其位於大墩街之西方，其北側為「後壠仔」（西區後龍里），西側為「公館庄」（西區公館里），以現今來說，「大墩汛」應該在舊市政府（臺中州廳）一帶。

　　「大墩汛」雖在臺中市區，但在清代時期，究竟有無駐軍於臺中

公園內的大墩之上呢？以目前的文獻資料來看，並無法加以證實，但因大墩位置較附近高，或許在多次的舉旗反清或是分類械鬥時，此處應是兵家必爭之地。直到在日治初期，日軍的「憲兵所」曾經駐紮於大墩之上，並在明治29年（1896年）興建「掩堡」，在大墩之上安裝三門大砲，其中兩門正對西方、一門對準東方，將大墩街納入其射擊範圍。之後，日軍平定臺灣，社會也漸漸安定，日軍在現今「干城」（臺中市東區干城里）一帶興建大型軍營，撤走大墩上的部隊，但也因此讓大墩有了「砲臺山」之稱呼。

小橋流水下的髑髏堆

大墩成為街市之後，漢人移民逐漸增多，而依據習俗，漢人習慣將先人的遺骨埋葬於近山之處，因而在大墩街的北側丘陵，即成為墳場之地。

目前得知在此處最早的墳墓，是南區江川里「江家」的開臺祖先江永盛。江永盛原居於中國福建省汀州府永定縣，在雍正4年（1726年）帶著五個兒子渡海來臺開墾，父子們從鹿港一帶上岸之後，即移居於現今臺中市南區一帶的「橋仔頭」，之後，江永盛再娶當地平埔族女子為妻子，又生了六個兒子，並經營保鏢事業，為人押運貨品或是金銀，從中抽取利潤。由於當時臺灣的治安不好，四處都有盜匪搶劫，甚至還有原住民會「出草」殺人，因此江永盛的事業做得很成功，在賺錢之後，他也在此地購買農田來開墾，後代子孫都群聚於此，當地也被命名為

以祭祀江永盛為主的「江家宗祠」。

「江厝」，江家即成為中部地區的大家族。

　　清乾隆年間，江永盛過世而被埋葬在現今東區的「東勢仔」一帶，此處正是位於當時的大墩丘陵，直到 1980 年代，此地人口愈來愈多，都市開始發展，其子孫才將江永盛墳墓以及墓碑遷移他處。

　　除了江永盛之外，從漢人移墾之後，應該有不少人埋葬於此處，據《臺灣省臺中市史》的描述，在日治初期時，在「大墩街」南北各有一座大公墓，其中北側即是臺中公園附近，而日本人來臺中之後，也在臺中公園西側建立「內地人（日本人）共同墓地」，此墓地距離公園內的大墩不到一百公尺。

　　明治 33 年（1900 年）4 月間，住在彰化的文人吳德功要到臺北參加「揚文會」，途中經過了臺中，寫下當時所見，他說道：「日晡，散步大墩街外，見新墳、舊墳纍纍。」

從吳德功的紀錄中，可見在當時臺中郊外還是有著不少墳墓，但就在吳德功行經此處後不久，臺中展開市區改正（都市計畫），不但開闢道路、規劃商店、住宅，並在明治 36 年（1903 年）之後新闢成為臺中公園，他所見的情況將有所改觀。

　　然而，在公園草創之初，仍不時可見墓地及墓碑。大約在大正元年（1912 年）左右，鹿港文人洪棄生曾有〈大墩公園雜詠十二首〉，在其中的一首詩詞寫道：

　　亭舍坐崔嵬，車聲送晚雷。園間殺風景，中有髑髏堆。

　　此處所謂的「崔嵬」，是指崎嶇不平的山，至於「車聲」應該指臺中公園附近已開闢了大馬路，車輛通行時所發出的聲音。而從整首詩來看，當時洪棄生應該走上了臺中公園的北門樓，坐在樓臺上欣賞風景，聽見附近車水馬龍的聲音，顯見街市已日益繁華，但在其眼前，看見不少「髑髏堆」，這些髑髏堆或是墳墓，也許是指尚未移葬的墳墓，已經看見髑髏露出的情景，卻無人前來收拾整理或是移葬他處。

　　但隨著臺中公園的設立，園內不只廣植林木，包括神社、涼亭、紀念碑、銅像等各項設施逐一完成，讓原本在大墩附近的墳墓逐漸「消失」。後來，人們也忘記了臺中公園曾經是墳場之事，在人煙聚集下，小橋流水間有著亭臺樓閣，草木扶疏下呈現花枝招展，而那些「殺風景」的墳墓，早已不知去向。

　　直到在 2000 年時，臺中市政府進行公園整理工作，工人竟然在大

臺中公園內所發現的「硬陶」碎片。

墩旁挖掘出了幾座清代的墓碑，年代最早的墓碑為清代嘉慶年間（1796
年～1820年），由於當時未加重視，都為私人所撿回收藏。筆者曾經
致電給其中一名收藏者，據其表示，當時挖掘出墓碑時，工人們嚇得不
知如何是好，最後決定將此事「掩蓋」起來，還有人要將墓碑砸毀，幸
好他得知此事，立刻透過管道將墓碑運出，才能保存下來。

　　除了墓碑被發現之外，筆者在2003年到東大墩孤丘，也發現一些
漢人的「硬陶」以及青花瓷器碎片，這應該都是清代的遺物。其中這些
硬陶較一般為厚，是否為漢人的骨灰罈？或是大型水缸？仍需進一步的
確認。

　　從家族紀錄、早期詩詞以及臺中公園現場遺留物品等，我們不難
證明在清代時期，大墩的功能是作為墳場使用。

1908 年 10 月之湖心亭（御休憩所）。

第四章

城郭的根在臺中公園

臺灣省城的遺址

縣社臺中神社位於臺中市新高町 84 番地，即臺中公園北門樓北方。

（社務所發行） THE TAICHU SHRINE

縣社臺中神社　　社殿（本殿）幣

臺中，現今為臺灣中部最大都會，但如果能搭乘「哆啦A夢」的時光機器，來到百餘年前的臺中，你將會發現這裡並非繁華都市，卻只是一個不起眼的小村落，名叫「大墩街」。

　　當然，人類還沒有發明時光機器，一切只存於科幻和動漫的幻想之中，但還是可以藉由前人的回憶，帶領我們踏入時光隧道，回到百餘年前。在明治33年（1900年）時，住在彰化的文人吳德功要到臺北參加「揚文會」，途中經過了臺中，他寫下當時所見：

　　4月10日，大雨傾盆而下，我坐著轎子來到大墩（臺中），到了中午左右，天氣才放晴，我將所見作了一首賦。大雨過後平野都溼潤了，春天的秧苗顯出綠意盎然，遠方的輕煙中彷彿有村落、樹林，溪流的水漲高了，讓竹子搭設的臨時小橋浮了起來，燕子窩上添了新土，捕魚的人看見大水來襲，把四邊有支架的方形魚網收起來，但是，到了中午左右就放晴，此時燒火煮飯的炊煙四處可見。

　　（原文：十日，大雨如注。乘輿到大墩。至午，天氣稍晴，即賦所見：雨後郊原潤，春秧綠滿疇。煙迷村樹隱，水漲野橋浮。燕壘添新土，魚罾避急流。晴天當向午，縷縷爨煙稠。）

　　但是，隔日吳德功來到葫蘆墩 [32]（臺中市豐原區），他所見的情況又有所不同，其記錄道：「午刻抵葫蘆墩，街市熱鬧，亦設車站。沿途上下埤圳水分流，是為樸仔籬圳。」

透過吳德功的描述，我們就像搭上了「哆啦A夢」的時光機器，來到百餘年前的臺中，看見當時臺中和豐原的差異。臺中，彷彿仍是鄉野農村，人民晴耕雨織，處處有稻田，還有人在河邊捕魚，而豐原則是「街市熱鬧」，還設立了車站（輕便車），至於臺中的車站則要等到明治38年（1905年）時才會設立，吳德功行經此地時，現今的臺中車站一帶，還是一片又一片的稻田，讓我們不免感嘆，當時臺中猶是純樸的鄉野啊！

以清代時期來說，當時中部的政治中心在彰化縣城（彰化市），經濟重心則為商貿重鎮鹿港（作為臺灣與中國的兩岸貿易），至於農業生產則以葫蘆墩、犁頭店（臺中市南屯區）以及員林等街市為主，隸屬於彰化縣的大墩街，當時算是相當郊外的「鄉下」地區，加上遭到林爽文事件、戴潮春事件等戰火破壞，據說在清代末期時，總人口只有一千多人。

BOX
戴潮春事件

戴潮春表字萬生，臺灣府彰化縣四張犁庄人（今臺中市北屯區），祖籍為福建省漳州府龍溪縣，在太平天國於中國南方起義，發動戰爭對抗清廷時，臺灣的社會治安不穩，戴潮春組成「八卦會」，協助官府維護治安，但同治元年（1862年）時，兵備道孔昭慈到彰化視察，竟殺了八卦會洪姓總理，並命淡水廳同知秋曰覲帶領六百名官兵前去掃蕩四張犁庄，戴潮春等人也率眾出擊，雙方在大墩會戰，秋曰覲大敗並遭殺害，戴潮春等人並攻陷彰化城，但因嘉義、鹿港屢攻不下，戰果無法擴大，同治3年（1864年）9月間，清廷派軍由中國渡海來臺，直到1865年全境平定。

臺灣建省行政區圖。

雖說人煙稀少，但時勢卻能營造英雄，在世界局勢的變遷下，清代末期時大墩街成了臺灣的「明日之星」，逐漸發出光芒。

但幸與不幸相偕而來，省城計畫未能全面實施而遭到廢棄，讓臺中再度荒廢。然而，處在最不幸之時，卻正逢否極泰來之際，讓臺中完全「變身」為現代化的都會。至於這些源由，必須從「臺灣省城」的興建說起。

風雨飄搖中的臺灣島

清代道光年間（1821 年～ 1850 年），中國遭遇內憂外患，直到光緒 11 年（1885 年），大清帝國決定將臺灣建立為行省，其主因臺灣地處外海，多次遭受外國勢力入侵。首次在同治 13 年（1874 年）5 月 8 日，日本軍隊以琉球漁民遭受臺灣原住民殺害為由，在臺灣南部的社寮（今屏東縣車城鄉射寮村）一帶登陸，並攻打排灣族的牡丹社，史稱「牡丹社事件 (33)」。之後，在光緒 10 年（1884 年）8 月 5 日，法國東京灣艦隊司令李士卑斯（Lespes）率領三艘戰艦強攻雞籠（今基隆市），展開「中法戰爭 (34)」，而清軍為避免臺北淪陷，全力封鎖淡水河河口，阻止法軍船艦駛入河岸。

經過這兩次的外敵入侵，清廷發覺臺灣防務必須加強，在光緒 7 年（1881 年）時，擔任福建巡撫的岑毓英要求「臺灣道」（臺灣地區最高行政長官）劉璈考慮將行政中心由臺南移到彰化，因為「彰化縣治適居南北之中，可居中調度」，而劉璈在接到命令之後，即出發到彰化

1874 年「牡丹社事件」爆發，日本出兵攻打臺灣南部，此為當時戰爭時期的木板畫。

一帶實地視察，並在隔年上書回覆：

　　去年（1881 年）岑巡撫曾經當面交待我，到大甲溪、大肚山一帶實地視察。我奉命前往，發現當地周圍面積有數百里之大，土地平整且肥沃，尤其環山繞水，可說是相當富庶。而在貓霧捒、上橋頭、下橋頭、烏日莊四個地方，更是鐘靈蘊秀、陽光充足的地區。內山有二條大溪流在此交會，匯流之後水量大增，從梧棲附近出海，而且民間的船隻可以

從海口通行到烏日莊，從此來看，這個地方實在可以作為都會。

（原文：上年蒙前撫憲岑面諭，就大甲溪大肚山以內周歷查勘。該處周圍數百里，平疇沃壤，山環水繞，最為富庶。而貓霧涑、上橋頭、下橋頭、烏日莊四處，尤為鐘靈開陽之所。又有內山南北兩水交匯，轉出梧棲海口，其民船可通烏日莊。以上實可大作都會。）

在此所謂貓霧捒，指現今臺中市南屯一帶，上橋頭、下橋頭則是「橋仔頭庄」，位於現今臺中市南區一帶，烏日莊則是指臺中市烏日區的「湖日里」。對於這四處地方，劉璈以「山環水繞」、「鐘靈開陽」來形容，到此為傳統風水之學，據說劉璈對於風水堪輿甚有研究，主張「負陰抱陽」、「山環水抱必有氣」，因而看中了臺中一帶，正符合風水之說，將來有成為大都會的條件。

新省城的新生與難產

劉璈的建議獲得福建巡撫的岑毓英的認同，立即上奏朝廷。光緒 10 年（1884 年）發生法軍侵臺事件，清廷對於臺灣更加重視，因此在隔年下令臺灣建省，並任命知名的軍事將領劉銘傳 (35) 為首任巡撫。

劉銘傳為臺灣首任巡撫。

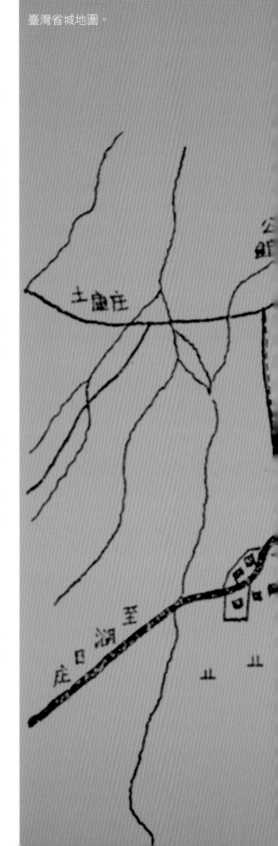

劉銘傳接任之後，多次到臺灣中部探查，他決定繼續岑毓英的主張，在貓霧捒、上橋頭、下橋頭、烏日莊一帶設立省城，但此一計畫受到彰化人士的反對，尤其是當時的鹿港，已是中部第一大商港，彰化仕紳希望以大肚溪南方的鹿港，為省城之所在地，不要設立在大肚溪以北的區域，但此建議不為劉銘傳所接受，他在光緒 13 年（1887 年）上奏皇帝，並在奏摺中說道：

彰化縣「橋孜圖」這個地方，是環山繞水之處，又位於大平原上，可說是恢宏闊敞、氣象萬千，又正好是全臺中央的位置。前任福建巡撫岑毓英就曾經上奏，建議在此興建省城。

（原文：查彰化橋孜圖地方，山環水複，中開平原，氣象宏敞；又當全臺適中之地。擬照前撫臣岑毓英議，就該處建立省城。）

此處所謂的「橋孜圖」，正是前文劉璈所稱呼的「上橋頭」、「下橋頭」，也就是總稱的「橋仔頭庄」，劉銘傳的奏摺獲得清廷的批准，立刻展開規劃，省城則是以東大墩、橋仔頭庄為主。

劉銘傳以此為省城的理由有二。其一，當地並未靠海，發生戰爭時外國軍艦不能直接從海上封鎖省城，而臺南、鹿港都是港口，有遭到封鎖的危險；第二，劉銘傳已打算興建臺灣縱貫鐵路，未來省城居於臺灣之中，可以靠著鐵路方便往來，因此「橋孜圖」雖然不如鹿港、彰化繁華，但劉銘傳相信在鐵路開通之後，藉由交通便捷之故，也能逐漸發展起來，並成為中部之重鎮。

就在劉銘傳的規劃下，臺灣的行政區重新劃分，於臺灣省之下設臺北府（管轄淡水縣、新竹縣、宜蘭縣、基隆廳）、臺灣府（管轄臺灣縣、彰化縣、雲林縣、苗栗縣及埔里社廳）、臺南府（管轄安平縣、嘉義縣、鳳山縣、恆春縣及澎湖廳）以及臺東直隸州，總共為三府十一縣三廳一直隸州，而臺灣省省會定於臺灣府的臺灣縣（今臺中市）。

光緒 15 年（1889 年）8 月，臺灣省城及其副郭「臺灣府」、「臺灣縣」正式動工興建，其總面積約 3.6 平方公里，比臺北城的 1.4 平方公里大了一倍以上，成為清代在臺灣所興建的最大傳統式城池，也是最後一座傳統式的城池。由於範圍相當大，當時總預算高達 90 萬兩，以當時的工資折合現今的水準來看，大約等於 270 億到 360 億元新臺幣之間。劉銘傳以附加課稅等方式籌措經費，籌到了 19 萬多兩以進行第一期工程。

第一期工程進行一年半左右，主要由臺灣知縣黃承乙監造，當地

臺灣省城的「小北門」。此照片為日治初期所拍攝，城門上方有日軍防守。

「監生」吳鸞旂為總理，並動用兵勇協助築城。城廓外型成「八卦」樣式，共分四大門、四小門，但因經費不足，第一期工程完成了八座城門，但城牆大多只有 1.5 公尺的牆基，只有完成大北門、小北門到西門部分大約 1,800 公尺（600 丈）的城牆工程。

在光緒 17 年（1891 年）2 月，第一期工程完成，但劉銘傳也離職，接任臺灣巡撫的沈應奎以及邵友濂，因資金不易籌募而未繼續進行第二期工程，臺灣省城的興建 (36) 計畫因而中止，直到光緒 20 年（1894 年），邵友濂奏請清廷將臺灣省城移至臺北，而在臺中興建省城的計畫也正式停止。

🏛 當城郭變成了公園

臺灣省城計畫動工之後，官衙、官廟、軍營等也已開始興建，但因地點位於臺灣中部，當時交通並不發達，在劉銘傳去職之後，繼任的邵友濂曾於光緒 20 年（1894 年）上奏清廷，他指出：

這個地方原本只是一個小村落，自從設立臺灣縣以來，居民與房舍並無增加，主要因其四面環山，瘴癘之氣相當嚴重，仕紳、官員、商人都不想前往，使得街市荒涼，從中可想而知。而且由臺北、臺南二處前往當地，都要四、五天以上，在路途上要有經過多處溪流，經常在夏天以及秋天時發大水，不管是要設立舟渡或架設橋樑，皆要耗費巨資，使得文件、信報常常受到阻隔，轉接、運輸尤其困難……而且省會之地，必須興建官衙、官廟、軍營，所需興建費用也很高，根本無從籌措，因此省會設立多年，巡撫等官員都沒有駐紮在當地。

（原文：惟該處本系一小村落，自設縣後，民居仍不見增；良由環境皆山，瘴癘甚重，仕官商賈託足維艱；氣象荒僻，概可想見。況由南、北兩郡前往該處，均非四、五日不可。其中溪水重疊，夏秋輒發；設舟造橋，頗窮於力；文報常阻，轉運尤艱。……且省會地方，神廟、衙署、局所在所必需；用款浩煩，無從籌措。是以分治多年，迄未移駐該處。）

邵友濂的說法符合當時的情況，因為省城計畫是在一片荒煙蔓草間興建都市，空有巨大城池以及官衙建物，卻無法在一時間吸引人口移入，而且交通建設無法同步建成，讓省城更加空洞，整個城區少有人煙，連官員也不想進駐，大部分還是留在臺北辦公。而這種情況，也能在臺中詩人呂敦禮（1871 年～ 1908 年）的〈大墩新建府城〉一詩中看出來，其詩寫道：

村墟疏落認新城，平野荒蕪接太清。細草常緣官堠長，閒花多傍女牆生。
月明尚少樓臺影，日暮初添鼓角聲。父老衣冠存太樸，大成殿畔事春耕。

　　詩中的「太清」是指天空，官堠的「堠」則是古代記里程的土墩，「女牆」則是古代城牆上面呈凹凸形狀的矮牆，多作射孔使用，可用於禦敵，至於「鼓角」是指戰鼓和號角，而「大成殿」則是孔廟大殿之名，位於省城的小東門附近（現今東區復興路靠近鐵路，後改建為臺中糖廠）。呂敦禮的這首詩，寫作時間應與邵友濂奏請清廷將臺灣省城移至臺北一事相隔不遠，由此中的形容，可見得當時省城的敗落。

　　直到光緒 21 年（1895 年）6 月，清廷將臺灣割讓給日本，臺灣官民不肯屈服，組成「臺灣民主國」與之對抗，但面對軍力強大的日軍，清軍的臺灣民兵組成的「反抗軍」根本難以抵抗。同年 8 月，日軍從苗栗長驅而下，反抗軍在臺灣中部設立防線，想要阻止日軍南進，但考量「原」臺灣省城並未有完整的城牆，根本無法抵禦日軍，最後全軍退守彰化城，並在八卦山架設砲臺作為防禦。

1895 年「八卦山戰役」時，日本所出版的木板畫記錄戰爭的慘烈。

在此情況下，省城已經沒有軍隊防守，日軍得以順利進入，並將「臺灣縣」改為「臺灣民政支部」，由兒玉利國擔任「支部長」。

兒玉利國接任之後，展開新的規劃，並捨棄原本傳統中國城池的結構，改以現代化都市之模式。幸好，當時省城工程半途而廢，讓重新規劃的工作能快速進行，而且還不用拆除太多房舍。明治34年（1901年）「臺中縣市區改正計畫」公布，並於明治36年（1903年）開始動工，整理出現今臺中市中區一帶的「棋盤式」街道，在北側興建「臺中公園」。

在此次的計畫中，原本臺灣省城的城牆、城門幾乎全數遭到夷平，而城內的舊有官衙、官廟、軍營也幾乎都拆除，改建新式的建物，但當地民眾向政府建議，應保留一座城樓作為紀念，因此將大北門上方的「明遠樓」移到新設立的臺中公園內。

兒玉利國（1840年～1925年）

明治時代的臺灣官員，本為日本鹿兒島縣人，曾參與牡丹社的調查活動，並官拜少將，在當時日軍將領中，算是對臺灣較為了解者。明治28年（1895年）擔任臺灣縣知事，管轄區域與清代相同，約為現今臺中市、彰化縣、雲林縣等。同年8月，臺灣縣改制為臺灣民政支部，兒玉利國擔任支部長，明治29年（1896年），臺灣民政支部又改制為臺中縣，兒玉利國於改制前卸任返回日本。

「臺灣省城」留存的風華

省城從興建到拆除，只有十多年時間，而日本政府因新式的都市計畫，僅保留部分清代臺灣省城的遺址、遺物，現分敘於下：

● 北門樓

臺灣省城建有八座城門，大北門名曰「坎孚」，其上建有門樓，名為「明遠」，其形式為單開間，歇山翹脊式。明治 36 年（1903 年）臺中進行都市計畫而拆除全數的城門、城牆，只將大北門的門樓保留移

1905 年的臺中公園，不但草木幼小，且沒有什麼多餘建物，只有「北門樓」矗立其上。

上圖：北門樓內的「曲奏迎神」木匾，目前已毀壞。

下圖：現今的「北門樓」。

建於新建公園內加以保存。由於北門樓經歷代改建，外觀、材質都有更換，因而無法列為古蹟，目前只由臺中市政府指定為「歷史建築」。至於北門樓中原有「曲奏迎神」木匾，署名為臺灣知縣黃承乙，但經歷代整修已失去原貌，在 2015 年 8 月的颱風中掉落，目前也破碎成十多片，已由文化局回收並嘗試修復中。

● 更樓

在興建省城中擔任「總理」的吳鸞旂為臺灣中部之富豪，並以捐銀而得成「監生」，當地民眾尊稱他為「吳部爺」。在興建省城期間，吳鸞旂也大興土木在省城內籌建豪宅，作為送往迎來之用，被稱為「吳鸞旂公館」或是「吳家花園」。日治末期，吳家之家勢敗落，豪宅遭轉賣他人，後又遭人占住，直到 1982 年因破敗不堪而拆除，當時市府將其宅邸中保留較完整的「更樓」，遷移到臺中公園保存，但遷移之後，

BOX

吳家花園

吳鸞旂的父親為吳景春，母親為霧峰林家的林純仁，原本就是臺灣中部的富豪之家。光緒 15 年（1889 年），臺灣巡撫劉銘傳決定在臺中一帶興建臺灣省城，由臺灣知縣黃承乙設計監造，霧峰林家的林朝棟派兵修築城垣，吳鸞旂則為建府的經理，負責籌款計畫建築。為了建城時期送往迎來及接待官員，吳鸞旂遂在「新庄仔」（現今後火車站一帶的新庄里）興建宅邸，其間有亭臺樓閣、小橋流水，被稱為「吳家花園」。大正 10 年（1921 年）吳鸞旂過世，其子吳子瑜接管家產，他生性豪爽闊綽，吳家的田產紛紛變賣，1951 年時，吳家花園也轉手他人，最後在年久失修下傾倒，市府將其拆除，並將遺址「更樓」遷移到臺中公園內存放。

臺灣紳士の邸宅

上圖：1900 年左右，在日治初期的更樓。
左下圖：1960 年左右的更樓。
右下圖：目前的更樓。

左為公獅子外觀，其嘴巴部位，完全沒有修飾的痕跡。
右為母獅子外觀，其下方的小獅子，可看出並無打磨的痕跡。

部分建材改以水泥，致使其價值大為減損。

● 孔子像前石獅

　　石獅原本並非在此處，根據日治時期的老照片，應該是放置在「昭忠碑」（現今「勝利碑」）前方，戰後始移至此處。這對石獅公母各一，由其外觀來看，應屬於閩南式石獅，但卻只完成粗坯，並未加以細鑿，

刻痕相當明顯，顯然並非成品。目前推測這對石獅可能在臺灣省城時代所雕刻，但究竟是放置在哪一個建築物前？仍需加以調查、比對，才能得知結果。

雖說是功虧一簣，但臺中興建省城的計畫卻為都市發展帶來契機，日治時期拆除省城，讓臺中朝向大都會前進，這與光緒 7 年（1881 年）前來此地「看風水」的劉璈之預言，可說是一模一樣。

然而，省城的拆除還是讓人留下不少遺憾，明治 44 年（1911 年）中國流亡文人梁啟超曾經前來臺中遊覽，他在臺中公園遊賞時，感念劉銘傳興建省城未成，遭日人拆除，僅留下臺中公園內的北門樓，因而寫下一詩：

蕩蕩臺中府，當年第一州。桑麻隨地有，城郭入天浮。
江晚魚龍寂，霜飛草木秋。斜陽殘堞在，莫上大墩頭。

梁啟超的感慨代表一個時代的結束，他離開臺灣之後，臺中市在大正 11 年（1922 年）設立「市制」，隨後大舉開發，到了 2000 年時人口突破百萬，並在 2010 年合併臺中縣升格為直轄市。臺中，在因緣際會下成為省城所在，又在朝代流轉中變成大都會，至於省城以及其遺址，已變成臺中發展的歷史之一。

第五章

日本人在臺中公園的熱帶想像

公園景觀的規劃

日治時期的臺中市役所。

（柳邊書店義行）

台中市役所

明治 29 年（1896 年）4 月，日本占領臺灣雖未滿一年，而「臺灣民政部」的日本籍官員田代彥太郎及鮫島喜造二人，受派前往臺灣各地進行視察，以了解這個「新領土」的風土民情及地理景觀。

當他們兩人來到臺中時，正好遇上臺灣抗日軍隊的領袖簡義的部屬，由南投率兵攻打臺中。日軍的砲兵部隊在「大墩」上架設大砲射擊，仍然無法阻止其攻勢，使得「臺灣省城」中的南門、小南門都遭其攻陷，東門則岌岌可危，最後日軍從豐原一帶調兵前來支援，才將反抗軍擊退，但臺中近郊已遭破壞，不但民宅被焚毀，多座城門也塌陷或損壞。

雖然遭遇到軍事行動，但田代彥太郎等人來到臺中時受到臺中縣知事兒玉利國的歡迎，不但帶領他們到處參觀，招待豐盛飲食，還由「琵琶會」成員六、七人演唱日本民謠及〈北白川宮征臺曲〉。一時之間，滿座人士皆痛哭失聲。事後，兒玉利國拿出其所規劃的「臺中市街圖」給田代彥太郎等人參考，這是一個以「圓形放射道路」規劃的市街圖，

BOX

簡義（1835 年～ 1898 年）

出生於臺灣雲林縣梅仔坑（今嘉義縣梅山鄉），後舉家遷於古坑（今雲林縣古坑鄉），明治 28 年（1895 年）曾參與八卦山戰役，為民軍首領之一，戰敗之後潛回雲林，並組織民兵與日軍對戰於斗六，失敗之後投奔鐵國山，與柯鐵虎合作，於明治 29 年（1896 年）6 月 14 日在鐵國山大會師，眾人首推簡義為首領，率軍攻打南投、雲林等處，對日軍造成極大威脅，隨後日軍反攻，並由辜顯榮、陳紹年出面勸簡義投降，簡義接受勸降之後，明治 30 年（1897 年）被任命為庄長，並授佩紳章。1898 年 6 月病逝，享年 64 歲。

而中央地區則興建為公園，整個規劃範圍比劉銘傳的「臺灣省城」較小些，至於上述的故事，被一同前來視察的日本官員笹森儀助記錄下來，並在明治 29 年（1896 年）發表於《臺灣視察結論》一書中。

明治 29 年（1896 年）時，田代彥太郎等人抵達臺中，這座清代的臺灣省城竟是如此荒涼。清朝時期所興建的官衙及廟宇，全部被日本軍隊占住，而整個臺灣省城內只有十數戶民家點綴在田野之間，完全不像一縣（當時已稱為「臺灣縣」）的政治、經濟所在地。

 日人成為省城的主人

在 1890 年代，臺灣省城及其副郭「臺灣府」、「臺灣縣」於光緒 15 年（1889 年）8 月正式動工興建，成為當時臺灣最大的城池，但曾幾何時，這裡又被遺棄。當時的臺灣省城之內只有東大墩街（現平等街與三民路的巷弄內）、小北門街（現自由路、民權路一帶）較有人煙，其餘不是田園就是荒煙蔓草。

BOX

〈北白川宮征臺曲〉

北白川宮能久親王（1847 年～ 1895 年）為伏見宮邦家親王之子，曾赴普魯士（德國）留學，在明治 28 年（1895 年）時率領近衛師團攻打臺灣，但在臺灣死亡，日本藝人即將其攻打臺灣之過程編成戲曲，以薩摩琵琶來演奏。

攻打臺灣時的北白川宮能久親王。（中間坐椅者及右圖）。

　　明治 28 年（1895 年）8 月 25 日，由北白川宮能久親王所率領的
近衛師團在攻占北部之後，軍隊由大甲進入牛罵頭（清水），此時由臺
灣人組成的義軍及劉永福部將所率領的黑旗軍，則聚集在彰化城，藉由
大肚溪及大肚山天險來進行防守，至於在彰化北方的「臺灣省城」則無
軍駐守，近衛師團的「中岡佑保」大佐率軍乘虛而進，在 8 月 26 日進
入省城，正式接管此地。

　　占領臺灣中部之後，日軍原本於彰化設立「臺灣民政支部」，但
在同年 12 月間，將支部所在地遷移到東大墩街。遷移民政支部的主要
原因，是因東大墩街的「臺灣省城」內已興建不少官署，正好可供日本
軍隊及政府官員使用，而占領此處的日軍也在大墩土丘上興建軍事工
程，利用其海拔 89.4 公尺的較高位置，往北可看見距離三公里外的北

屯區三十張犁（現今北屯區昌平路一帶），往東可見距離兩公里外的旱溪，往南則可看見彰化北端的平原，往西又能看見大肚臺地，視野相當良好，具有軍事價值。

　　但在臺灣民政支部從彰化遷移到東大墩街之後，也發現許多問題。首先，日本所接收的清朝政府官署，部分已因戰亂及多年失修，因而破損不堪，連多座城門也遭到破壞；第二，省城內還有不少田野沼澤，居住的人口並不多，工商業相當不發達，且交通不便；第三，在東大墩街上，除了部分木造房屋之外，大部分都是鋪蓋著稻草的「土埆厝」，狹小且彎曲的巷弄之中還常有私娼出沒，市街內因缺乏現代化的地下排水系統，因而髒亂不堪；最後，東大墩街上還有攤販形成了魚菜市場，在缺乏管理下相當凌亂。

　　在種種問題無法解決下，當時的日本人稱呼此地為「全島最不健康之地」。但在明治 29 年（1896 年）時，日本政府開始允許婦女及一般商人來臺，這些最早渡海來臺的日本平民來到臺中，最先聚集在「新町」（在今三民路與民權路一帶），與臺灣人聚集的東大墩街及小北門街有所區隔。其後，日本人又在新町附近聚集成市，稱為「富貴街」。

　　然而，富貴街附近原本是臺灣人的舊墳地，這些渡海來臺討生活的日本人，在取得政府的許可之後，還請了僧侶前來誦經，以超度死者，之後，日本人才開始在此處，興建木料為主的日式二樓房屋。而這些最早期來到臺灣的日本人，在有所成就或是賺到錢之後，為感謝神明的庇佑，在臺中公園內興建臺中神社時，莫不全力支援、奉獻，現於公園的神社殘餘石燈籠中，還刻有這些捐獻者的姓名以及渡海來臺的日期。

但面對殘破的城池以及亂無規章的新舊市街，日本政府必須有所作為，才能大幅改變現況，並徹底改造這個都市。

展開棋盤般整齊的城市

日本在占領臺灣之後，認為原有的「臺灣省城」位於臺灣之中部，將其改名為「臺中」，此名稱也一直延用至今。

首任的臺灣民政支部長兒玉利國就任之後，認為清代末期「臺灣省城」是依照古代城池的舊有思維來興建，因而有城牆、城門等建物，根本不適合現代化都市的規模，為了改善都市景觀，並將臺中建設成現代化都市 (37)，兒玉利國決定要摒棄原有「臺灣省城」的規劃，改以「圓形放射道路」作為新都市的設計藍圖，在都市中心作為公園預定地，並以公園為中心，放射出 16 條道路。

在兒玉利國的計畫中，這種「圓形放射道路」類似於法國巴黎的都市計畫，而其中公園的位置，正是巴黎「凱旋門」，但此一計畫並未被採行，在明治 29 年（1896 年）時，臺灣總督府民政局派遣英國籍顧問巴爾頓（W. K. Burton）來到臺中，為改善都市衛生做考察。

同年 11 月間，巴爾頓和民政局技師濱野彌四郎提出《臺中市街區劃設計報告書》，規劃出「棋盤式」街道。這個計畫完全推翻了兒玉利國的「圓形放射道路」市街形式的規劃，並將原本預定在市中心的公園移至市區的東北角，而且在計畫中，將在公園內設置博物館、圖書館等建築。其後，濱野彌四郎在綜合巴爾頓的報告書之後，又提出一份《臺

都市重劃之後的臺中市街道。

中市區新設》的建議書,其中提及:「公園可慰勞精神心靈、培養清心氣息,必成為不僅是健康上必要者,一旦在人口稠密處發生祝融之災,在無空地之市街可成為老弱避難、搬運貨資之安全舒適場所,所以大型公園必設一處。」

依據《臺中市區新設》的建議書,在明治 33 年(1900 年)由臺中縣公告第五號公布了「臺中市區改正圖 (38)」(1900 年 2 月 5 日,臺灣總督府檔案第 494 冊 4-2 號)。這是第一份正式的市區改造計畫,圖中將公園設於城市的中心,而街道也呈棋盤狀分布,正是現今臺中市區的都市計畫藍圖。

後來,鐵道開始鋪設,必須增加鐵道用地以及火車站,因而修改

都市重劃之後的臺中市街道。

計畫，將公園的預定地移為鐵道用地，充當臺中火車站使用，而公園也移至新都市的東北角。

　　而此「市區改正」耗資了 22,000 多元，用以從事建設工作，包括了開闢道路、修建溝渠、興建堤防等，其中最重要的是從小北門街（現自由路、民權路一帶）往西北延伸的縱貫道路工程，此道路即是目前市區內的「自由路」，而市區內的道路也呈「棋盤狀」分布，描繪出臺中新市區的架構。

　　明治 36 年（1903 年），依據「臺中市區改正圖」展開進行的「市區改正」，臺中公園在市街進行重劃時，一併興建，成為全臺第四座現代化公園。

公園名稱	開園時間	面積	地點
圓山公園	明治 30 年（1897 年）	29,645 坪	臺北市
高砂公園	明治 33 年（1900 年）	8,016 坪	基隆市
屏東公園	明治 35 年（1902 年）	24,109 坪	屏東市
臺中公園	明治 36 年（1903 年）	26,136 坪	臺中市
鼓山公園	明治 37 年（1904 年）	27,890 坪	高雄旗山
彰化公園	明治 38 年（1905 年）	35,271 坪	彰化市
臺北公園	明治 41 年（1908 年）	23,655 坪	臺北市
宜蘭公園	明治 42 年（1909 年）	6,776 坪	宜蘭市

　　而在都市計畫的展開之後，日本平民的移居，讓人口增加，商業

逐漸興旺，更讓這座城市有了一些新的氣象。當時的詩人林朝崧（字俊堂，號痴仙，臺中霧峰人）有一首〈竹枝詞〉，也描述此一景色：

連雲樓閣最稱佳，新盛街通富貴街。人物申韓家獨夥，街頭一步一招牌。
大墩墩下好婆娑，處處旗亭夜夜歌。聞說風光非本地，佳人來自北方多。

詩詞中所謂「新盛街」和「富貴街」，都是都市規劃之後的新街道，在明治43年（1910年）前後，這裡的酒家及料理店林立，被稱之為「旗亭」，在當時的社會中，料理店或是酒家都會有女性服務生陪酒，而店家則在門口插了旗幟，藉以招攬顧客，而這些所謂的「酒家」與今日的概念並不同，在當時，酒家算是一個娛樂及交際的場所，不但提供飲食，也有能歌善舞的「藝旦」來娛樂顧客，而在酒酣耳熱之餘，偕同酒女一起出遊，到臺中公園賞景，正是人生之樂。

🏛 種下公園的種籽

明治36年（1903年）臺中公園動土興建，並在當年的10月28日「開園」。當時，大多數的臺灣人對於所謂「現代化都市」，根本毫無概念。在清朝統治期間，雖有鐵路（只在基隆到新竹間）、電報局、郵政等新政，但對於整體都市的規劃，還是依循千百年來傳統，光緒13年（1887年）興建的「臺灣省城」，就是依照中國傳統的「城池」結構來動工興建，與所謂的「現代化都市」毫無瓜葛，直到明治28年（1895年）日本攻占臺灣之後，才將大量的西方文明及科技引進，而都市計畫正是其中之一。

在決定於臺中市區興建公園之後，明治36年（1903年）3月間，臺中的地方官員和仕紳聚會討論，議定以募捐的方式來興建臺中公園，而位於公園附近大北門上的「明遠樓」（北門樓）因都市計畫之故面臨拆除的命運，仕紳們也決議加以保

「臺中公園建設地方委員會」向民眾募捐建設經費的收據。

1903 年臺中公園開園之景象。

存，因為清代的臺灣省城在此次的大興土木下，幾乎拆除殆盡，而保留此門樓，將成為省城的「紀念物」。

為了興建公園，臺中一帶的仕紳也組成「臺中公園建設地方委員會」，由各地的委員向民眾募捐建設者總共募集了 7,100 多元，這筆費用除了將「明遠樓」（北門樓）遷移至公園內的大墩之側，並清理了大墩一帶的墓地，公園內也鋪設石道及種植花草樹木，以豐富其景觀。

而在公園興建之前，日本政府已在明治 35 年（1902 年）時先將位於鐵道預定地的「物產陳列館」移至公園之內，成為臺中公園內第一個公有建築；明治 38 年（1905 年）時，又將「昭忠碑」遷移至此，以祭祀征臺戰役中死亡的日軍。

在臺中公園設立之時，臺中的「市區改正」也如火如荼地展開，從明治33年（1900年）到明治43年（1910年）之間，陸續完成了市區不少道路，大約從現今的臺中地方法院、臺中公園、臺中醫院到臺中火車站的範圍內道路，都在此時開闢，讓臺中市街「棋盤式」街廓，已儼然成形，至於位於城市北側的公園，也成為市民休憩場所，並藉由道路的聯繫，發揮了公共空間的功能。

公園重生了荒蕪的無人地

臺中公園在原本興建之初，占地有26,136坪，隨後陸續擴增，迄今已廣達32,889坪（約為11甲2分），而這些土地究竟是由何而來？

這個問題向來有不同的答案，一般而言，其土地來源就有兩種說法。其一，公園的土地原是富豪人家之亭園，為日本政府所徵收；其二，日本政府整理大墩附近的墓地及沼澤，並獲得公園之土地。

以第一說而言，所謂「富豪人家」也有兩種不同見解。第一種見解是林衡道在1978年10月《臺灣文獻季刊》發表〈臺灣名勝古蹟調查：臺中市中山公園〉一文中，指稱其土地為「橋仔頭林家花園故址」，而「橋仔頭林家」應指目前臺中市南區中興大學附近的林氏家族，但此說法未引述來源，缺乏根據；第二種見解則是《臺中市志》卷一之「土地志勝蹟篇」中所謂「霧峰林家之瑞軒」，並載明在清末興建「臺灣省城」時，因紀念清同治年間參與討伐太平天國的臺灣名將林文察之功績，於省城內興建「林剛愍祠」（「剛愍」為林文察之諡號），而此專祠正是

位於目前臺中公園附近的「合作大樓」旁，林家也在專祠旁興建園邸，名為「瑞軒」，而且在1900年代，霧峰林家的林痴仙等人與同好組成「櫟社」常在「瑞軒」聚會，並經常吟詩唱和，更利用會後到臺中公園遊歷，寫下不少有關公園的詩詞。

第二說則是認為臺中公園的土地是以「砲臺山及霧峰林家花園為建地」。此說是以學者賴志彰所撰的〈明治時期的臺中市〉（發表於《臺中文獻》第四期）一文為主，指稱臺中公園的土地位於綠川及柳川之間，當時因尚未整治河川，有無數支流貫流其間，西側又有一牛軛湖所退縮形成的「大湖溝」（現今北區大湖里），因此可謂是「水鄉澤國」，在明治36年（1903年）時，地方人士籌募七千多元，將北門樓遷移到大墩之上，又興建臺中公園，加上市區改正動工，將河身改道，護岸工程也開始興建，此地遂逐漸堆高，配合附近的整理水系成湖，再加上霧峰林家的土地，成為臺中公園。

以目前可見的資料而言，第二說較符合事實。在清朝末年時，劉銘傳雖在臺中興建省城，但卻無完善的都市計畫，並未對臺中的河道、街道進行整理，造成當地衛生髒亂，再加上交通不便，使得接任臺灣巡撫的邵友濂將省城遷移到臺北，放任臺中的省城荒廢。到了日治時期，臺中公園一帶還是竄流的溪水及牛軛湖，而大墩土丘也為墳場所在，無法耕種，因此這一帶土地可能大多為無人地，而霧峰林家的「瑞軒」雖位於其附近，但在明治36年（1903年）臺中公園設立時，「瑞軒」尚未被併入公園範圍，要等到大正元年（1912年）都市計畫擴大之後，才被徵收為公園用地。

現存於國史館臺灣文獻館內的「臺灣總督府檔案」中，卻可找到一些線索。依據該檔案第 1449 卷第 12 號（1908 年 10 月 14 日）公文「臺中公園敷地寄附受納ノ件」中指出：

當廳（指「臺中廳」）下藍興堡公館庄（現西區公館里）林應瑞捐獻土地 1 分 1 厘 1 毛 6 糸（約 300 坪左右）作為臺中公園敷地使用，此為公共利益之故，由國庫受納。……明治 41 年 8 月 24 日

在該文件之後，附有林應瑞所捐贈土地的地籍圖，地號則是「東勢仔庄 246 番之 1」，而且依圖顯示，該地附近都是墳地。從此一文件及前述資料看來，臺中公園的土地應是由墳地、河川地及民眾捐獻而來，至於霧峰林家的園邸則是在大正元年（1912 年）之後都市計畫納入公園範圍。

熱帶植物園的想像與實踐

「臺灣省城」的毀壞，帶來了一個新興的都市產生，而臺中公園就在這個現代化的都市計畫中誕生，日式和風的亭園設計以及西洋風味的建築中，還是保存著北門樓等中國式建築，但墓地與沼澤已變成公園，這裡的景色將煥然一新、完全改觀。

由於日本位於溫帶，臺灣為其第一個殖民地，又處於亞熱帶氣候，在臺中公園「開園」初期，日本政府有意將此營造成一座「熱帶」公園，

位於臺中公園日月湖畔的爪哇合歡，目前已經死亡。

位於臺中公園大墩的爪哇合歡所結之果實。

除了種植臺灣當地的榕樹、樟樹之外，也從南洋諸國以及美洲等地引進樹木，並於臺中公園內種植，經歷上百年的歲月，這些南洋植物有的毀於天災（颱風、大雨），有的因人謀不臧而慘遭砍伐，有的因照顧不周而染病死亡，但迄今仍保留部分樹木，在百年歲月的成長下，都長成了巨木，成為臺中公園的象徵。

● 爪哇合歡 (39)（Parkia roxburghii G. Don）

爪哇合歡為豆科、含羞草亞科植物，又稱大葉巴克豆、球花豆，原產於爪哇、馬來西亞、緬甸、印度、中國雲南一帶，為直立高大喬木，樹木可高達 20 公尺至 40 公尺。

原本在臺中公園內有兩棵相當巨大的爪哇合歡，但在 2000 年公園進行整修，不慎將其傷害而死亡，目前只剩下大墩孤丘上的一棵。從老

位於臺中公園的金龜樹。

照片來看，這棵爪哇合歡應該在明治41年（1908年）時豎立臺灣總督
兒玉源太郎「玉像」時所種植，迄今已逾百年，每年4、5月間開花，
經常吸引不少遊客前來欣賞。

● 金龜樹 (40) （Pithecellobium dulce）

　　金龜樹為豆科、含羞草亞科植物，又稱呼牛蹄豆、羊公豆、洋酸角、
洋皂莢、甜肉圍誕樹及甜肉圍涎樹等，原產於中美洲的墨西哥，由於在
開花時有特別香氣，常吸引大量金龜子聚集停棲樹上，因而得名。

　　臺中公園在建園之初，即在水池周圍種植金龜樹，但多年來經歷

位於臺中公園的雨豆樹。

颱風、大雨等天災，不少金龜樹都斷裂、死亡，市府也加以補種，目前最老的金龜樹位於公園大門入口處，初估也有近百歲。

● 雨豆樹 (41)
（Samanea saman）

雨豆樹為豆科、含羞草亞科植物，又稱為雨樹、夜合樹、羽豆樹原，產地為中南美洲以及西印度群島，由於其樹冠呈傘形，為優雅之庭園綠蔭樹、行道樹，但冬季時會大量落葉，樹冠很大，可達15 公尺。

臺中公園目前最大的雨豆樹位於網球場旁，但因樹幹已腐朽一個大洞，2014 年 8 月間，臺中市政府建設局委請扶輪救樹志工團與協會進行保育。最後由中興大學副教授劉東啟與日本樹醫生總教官堀大才老師進行調查診斷。

除了爪哇合歡、金龜樹以及雨豆樹之外，臺中公園仍有種植不多的熱帶植物，例如大王椰子、華盛頓椰子、鳳凰木 (42) 等，經過百餘年的生長，已經讓公園變得綠意盎然，與百年前空空盪盪情況相比，已不可同日而語了！

臺中公園內所種植的熱帶植物。

第六章

在臺中公園聽見火車鳴笛聲

池亭與老樟樹的故事

「臺灣縱貫鐵道全通式」舉辦之前的臺中公園。

明治 41 年（1908 年）10 月 24 日，臺中發生了一件大事，一位日本皇室的親王要搭船來到這個南方偏遠的小城市，在當地的臺中公園為「臺灣縱貫鐵道 (43) 全通式」主持典禮。就在此時，一位就讀四張犁公學校的 15 歲少年江連鼎，正好來到現場參加典禮，他的心情相當激動，多年之後，他寫下當時的回憶：

　　明治 41 年（1908 年）臺灣縱貫鐵道全通式在臺中公園舉行，從高原校長以降的全校師生，專程到「臺中驛」（臺中火車站）搭乘火車到「潭仔墘驛」（潭子火車站），享受乘坐火車的樂趣。在臺中站時，高原校長給我喝了一口汽水，對於從未享用的這種飲料，我相當驚訝，而第一次看見裝著汽水的玻璃瓶子，第一次看到火車，也第一次搭乘火車的經驗，其心情比哥倫布發現「亞美利加」（美洲）大陸更快樂。

曾擔任北屯庄助役的江連鼎就讀「四張犁公學校」時，參加過 1908 年 10 月 24 日於臺中公園舉辦的「臺灣縱貫鐵道全通式」。

日後，江連鼎成為該學校第一位畢業生，順利考上臺灣總督府臺北國語學校師範部，畢業後又回到故鄉擔任教職。以上的回憶，是他在昭和9年（1934年）為《北屯公學校創立三十週年誌》所寫下一篇題名為〈隔世之感〉之文章，回憶起明治41年（1908年)10月24日時所經歷的一件難忘之事，也是他人生中第一次搭火車，第一次喝到汽水，甚至是第一次看見日本皇室的親王。

　　從江連鼎的紀錄中，我們得知當時的一些情況。「四張犁公學校」的師生應該是從北屯行走到臺中公園，這一段路程約要七公里左右，大約兩個小時可以抵達，而在參加典禮之後，師生們也乘坐火車來體驗一下在鐵道上飛馳的速度與快感，從臺中火車站搭乘火車北上並抵達潭子站，這一段路程只有十公里，以當時火車的速度，大約在二十分鐘之內可以到達。但在年幼的江連鼎心中，這次旅行所留下最深刻的記憶，應該不是「臺灣縱貫鐵道全通式」舉辦時的盛大場面，反而是那飛奔快速而過的現代化科技產物——火車，以及那一口冰涼的爽口的汽水。

　　但在當時，日本帝國為什麼要花費巨資，在殖民地臺灣興建縱貫鐵道呢？

火車終於從基隆走到了打狗

　　「縱貫鐵道」一詞係日治時期之稱呼，戰後多改稱為「縱貫鐵路」。臺灣鐵路 (44) 的興建始於清代末期，當時的臺灣首任巡撫劉銘傳即展開規劃，在光緒13年（1887年）起興建，但劉銘傳只有規劃及興建臺灣

大安溪上的輕便鐵道，必須以盤旋方式登山。

北部地區的鐵路，通車區域從基隆到新竹間，而臺灣的中部及南部，因要橫越多條大溪流，工程費用相當昂貴，暫時無法動工。

　　日本統治臺灣之後，起初也使用劉銘傳時代所規劃的鐵路，但在整體而言，此一路線並不適當，尤其是部分路段太過彎曲或是坡度過大，不利火車行駛，因而由臺灣總督府重新規劃，並廢止原有的部分路線，還計畫將鐵路延伸到臺灣中、南部，讓整個路線從基隆到打狗（高雄），稱為「臺灣縱貫鐵道[45]」。

臺灣中部的大甲溪有寬達一公里以上的河道，必須興建橋樑才能通過。
此為興建鐵道之工事。

　　經過探勘路線之後，臺灣縱貫鐵道於明治 32 年（1899 年）開始鳩
工興建，至明治 41 年（1908 年）完工，前後耗費九年多的時間。在興
建之初，當時擔任臺灣民政長官之後藤新平 (46) 於第十三屆日本帝國議
會中提案，預計以十年時間斥資三千萬元來興建，不足額將以發行公債
來因應，但後來帝國議會通過的總預算為 2,880 萬元，在明治 41 年（1908
年）4 月 20 日完工時，還有結餘款 50 萬元。以當時的情況來說，2,880
萬元的鐵道興建費用大約與當時臺灣總督府全年度總預算（2,910 萬元）

相當，就此而言，臺灣西部縱貫鐵道之興建算是相當高昂的支出。

　　為了完成西部縱貫鐵道 (47) 的大工程，施工單位採用分段進行方式處理。在北部方面，清朝時代已將基隆到新竹間的鐵路鋪設完成，日本政府接收後重新規劃路線，並在明治 36 年（1903 年）完成新竹到苗栗間鐵道，隔年則完成苗栗到三義「新伯公」（西湖村）；在南部方面，明治 37 年（1904 年）高雄（打狗）到雲林斗六間通車，隔年 4 月斗六到彰化二水（原名「二八水」）間完工，5 月又完成了二水到豐原（原名「葫蘆墩」）間的鐵道。為了慶祝從二水到豐原的鐵道通車，臺灣總督府在明治 38 年（1905 年）6 月 10 日於臺中公園的北門樓舉辦「二八水、葫蘆墩間鐵道開通式」，由當時的臺灣總督兒玉源太郎、民政長官兼鐵道部長後藤新平前來主持，後藤新平在致詞時就指出：

　　　鐵道工程在動工之後，雖然經歷不少艱難，但卻能依計畫完成，目前僅中間九哩是以輕便鐵道相通，而南北鐵道已可通車。

　　在這個階段，臺灣西部縱貫鐵道還有最後一段尚未打通，就是在豐原到「伯公坑」(48)（苗栗縣三義鄉西湖村）這一段。在明治 28 年（1895 年）占領臺灣之後，日本政府先以輕便鐵道接通。就在此時，臺灣西部的交通基本上已經打通，可以從基隆通行到高雄，在明治 38 年（1905年）6 月發行的《臺灣府城教會報》中，有一則〈鐵車路〉的報導，記錄當時的情況，由於報導是以拼音的臺語文字撰寫，現將其翻譯為華語：

右頁圖：火車通過大甲溪鐵橋。

在 5 月 15 日（1905 年），火車鐵道已經開到葫蘆墩街（豐原），從那裡到伯公坑要渡過大甲溪和大安溪，現在還未建造鐵道，但有設了兩條輕便鐵道，真好用！

　　現在從臺南往北的火車，最早一班車是 6 點鐘發出，在晚間 9 點鐘就到臺北，如此一來，從臺南到臺北只要一天的時間。

　　若是要去彰化，早上 6 點從臺南開出的火車，11 點 34 分就到彰化，回程時，火車在下午 3 點半從彰化發車，晚間 9 點 7 分就到臺南，從臺南到彰化的旅客，一天之內就能往返，中間還在彰化有 4 個小時的時間，可以處理事務，若是在清代時，從臺南到彰化往返就要 8 天的時間才行。

　　從以上的報導，可得知因為臺灣西部鐵道的陸續完工，僅剩下中部的一小段，必須以輕便鐵道來連接，但在明治 38 年（1905 年）時，臺灣的「空間」已經面臨第一次大變革，原本在清代只能經由官道（現今的省道臺一線）連結臺灣南北交通，但從臺南到臺灣省城（臺中）要四、五天時間，從臺灣省城到臺北，又要四、五天時間，然而在鐵道運

從火車車窗上所看見之風景。

輸下，臺南到臺北只要 15 個小時。這也就是說，在明治 38 年（1905 年）時，臺灣西部已經變成「一日生活圈」。

這樣巨大的改變，在當時人們的眼中應該是相當驚訝，而且在交通改善之後，西部各大都市能夠連結在一起，並藉由基隆、高雄兩大良港，將臺灣各地的物產集中之後輸出，促進商業的發達。為了解決最後一段（豐原到三義間）的鐵道，施工單位積極挖掘鐵道山洞以及鋪設大甲溪、大安溪鐵橋，尤其在苗栗的「新伯公」（三義）一帶，更建築知名「魚藤坪橋」與「內社川橋」[49]（當時臺灣鐵道最高的橋樑，橋面距水面 33 公尺），工程相當艱辛，而且，此一段鐵道的坡度達到千分之25，是為臺灣西部鐵道工程中最困難的一段，直到明治 41 年（1908 年）4 月 20 日才完成通車。

為慶祝臺灣西部鐵道通車，臺灣總督府決定在明治41年（1908年）10月24日於臺中舉辦「臺灣縱貫鐵道全通式 (50)」，並廣邀日本本土的政治家、富商來臺參觀，而日本皇室也由親王親臨臺灣來主持全通典禮，至於典禮會場就選擇在臺中公園。

🏠 中之島的池亭往事

　　明治41年（1908年）10月「臺灣縱貫鐵道全通式」後，臺灣西部交通動線已完成，臺中位居鐵道的中點，在鐵道交通的帶動下，也逐步變成中部的大都市，而臺中公園也因舉辦此一盛大的典禮，在媒體的大幅報導之下而享有盛名，為全臺民眾所知。另外，在此典禮中所興建的「池亭 (51)」，日後也成為臺中公園的重要景觀，為臺中市的重要地標之一。

　　為了迎接「臺灣縱貫鐵道全通式」的舉辦，臺中各界早已開始動員準備。在當時，臺中廳長佐藤謙太郎召集官吏、仕紳、富商先召開會議，討論如何募資來舉辦活動，最後募集了35,000元來籌辦。在「臺灣縱貫鐵道全通式」典禮中，不但有超過一千位的來賓光臨，有人甚至特別從日本搭船來臺灣，日本皇室更由「閑院宮」載仁親王親自到場主持，這是臺中建城以來未曾有過的大活動，整個都市都動了起來，市區中的春田、丸山、高砂、千代之家、鹽田等五家旅館，為了迎接遠道而來的賓客，因而擴建房屋以增加房間數量，都還是不足以因應，最後連官舍、公家宿舍也都暫時提供出來，作為賓客的住宿使用。

1908 年 10 月之湖心亭（御休憩所）。

除此之外，臺中市區裝設了一百多盞瓦斯燈（當時臺中市尚未有電燈），燈上大書「祝全通」字樣，以資慶祝，道路兩旁則種植樹木作為綠美化，而在「新盛橋通」（現今「中山路」）上搭設「歡迎門」，至於在臺中公園前則搭設「奉迎門」，以迎接親王的到來。在臺中公園的「物產陳列館」前，也設置了「臺灣縱貫鐵道全通式」的會場，而在水池四周也搭設食堂，以供參與典禮的來賓飲食。

　　為了這場盛會，臺中公園的「中之島」也興建了一座涼亭，以為載仁親王主持通車典禮後休憩之用，當時稱之為「御休憩所」。在日語中，名詞前方加一「御（お）」字表示尊重，或是用於指特定事物，而「御休憩所」則是專指提供親王休息的場所，這也是此涼亭興建之初所設定的功能。至於涼亭的建築，根據後人研究，應該是由當時臺灣總督

主持「臺灣縱貫鐵道全通式」之後，載仁親王走出會場。

府的技師福田東吾所設計，並由「櫻井組」所承建，只花了兩個多月即完工，由於此亭為和洋風格建築，不但造型典雅且線條柔和，且親王曾在此休憩，日後也被列為此次通車典禮的「紀念建築物」加以保存下來。

明治41年（1908年）10月22日，閑院宮載仁親王所乘坐的軍艦抵達基隆港，隨即進入臺灣總督府官邸休息，翌日並召見總督及文武百官進行訓勉。10月24日上午7點，親王乘坐貴賓火車從臺北出發，中午12點即抵達臺中，臺中方面恭候親王駕到者有文武百官、有位戴勛者、文武判任官總代、婦人會役員、廳參事、街庄長、紳章佩用者、新聞記者、內地（日本）總代、本島（臺灣）總代在內。為了迎接親王，由山砲兵第一中隊的7名將校及130名士兵組成砲隊，列隊歡迎親王到來，並發射21響的禮砲以示尊敬。

隨後，親王乘坐兩匹馬拉的馬車，從停車場（火車站）出發，沿途接受民眾的歡呼，途經新盛橋（中山綠橋）、致祥街（自由路彰化銀行附近）、北興街（自由路臺電附近），最後抵達公園內的會場。在舉

BOX

載仁親王（1865年～1945年）

閑院宮為其皇室的「宮家」名稱，也是世襲親王家之一，載仁親王於明治5年（1872年）以過繼方式承此宮號，並與明治天皇為義兄弟關係。他於明治10年（1877年）進入日本陸軍士官學校，明治15年（1882年）以武官的身分赴法國學習軍事，之後參與日清、日俄戰爭，大正8年（1919年）晉升為日本元帥，昭和6年（1931年）擔任參謀總長，支持對中國發動戰爭，屬於日軍主戰派。

辦通車儀式之後，親王也在特別為其準備的「御休憩所」稍作休息，之後便啟程返回日本。

盛大的通車儀式，想必在當時會引起廣泛的討論，而在通車之後，這座「御休憩所」就成為臺中公園內最著名的景觀。但在當時，由於親王曾到此休憩，並接見賓客，因此臺灣總督府將此地視為神聖所在，禁止閒雜人等的進入。但因「御休憩所」位於公園之中的水池之畔，為夏季納涼的最佳場所，市民們一再請求官府開放，大正3年（1914年）時，臺中廳長兼「臺中公園管理者」枝德二呈文給臺灣總督府，請求以「無償貸下」的方式，將「御休憩所」撥給地方來管理，並以十年為期限，而總督府也同意此建議，依「臺灣官有財產管理規則」第八條規定，撥給臺中廳的「臺中公園管理者」負責管理。

自從撥管之後，一般市民就能到此參觀、遊賞，因此就被改稱為「池亭」或是「中之島之亭 (52)」。在日治時期，池亭已成為臺中市的象徵，而在當時的觀光書刊中，也將此地列為旅遊景點之一，不少到公園參觀的遊客，都在此拍照留念。除了觀光及拍照的價值之外，日治時期也經常在池亭內舉辦小型的畫展、插花展等活動，並於夏季舉辦「納涼會」，以商品展覽方式，讓民眾都能共襄盛舉、一同參與。

戰後，國民政府為了要消滅日本政權所帶來的文化影響，將臺灣的道路、公園的名稱都加以改變，並以中國的偉人、領袖來命名，臺中公園就在1947年被改名為「中山公園」，池亭也改稱為「中正亭」，並出租給商人來擺設茶桌，在1950年時，市府受到市議員的抨擊，才將其營業行為取消。從1948年開始，臺中市商會又在臺中公園內舉辦

臺灣總督府發行之「臺灣縱貫鐵道全通式」紀念明信片。

「納涼會」及商品展覽會，中正亭成為會場的重點布置，主辦單位在其上安裝不少電燈泡，每到夜晚就閃閃發光，吸引眾人的目光。到了1970年代，臺中公園水池內的龍形噴水設備被拆除，改在湖上豎立太陽與月亮的標誌，因此將水池稱為「日月湖」，而中正亭也被改為「日月亭」，之後市府又將日、月標誌拆除，安裝大型噴水設備，涼亭的名稱就變成了「湖心亭」，這個名稱一直使用至今。

臺中市政府從2000年開始，每年都會在臺中公園內舉辦「大臺中燈會 (53)」，第一年的主題正是以「湖心亭」為主題，製作高達7.2公尺的主題燈，但在當年的活動結束之後，這座「湖心亭大花燈」就流落街頭，最後由臺中市東區東南里的社區發展協會加以認領，目前陳列在旱溪旁。

從明治41年（1908年）興建以來，這座涼亭的內外建築大致維持原設計的模樣，但也有些許的變更。其中在外觀方面，屋瓦部分已由原本的「平鋪式」改為「魚鱗式」，而屋頂也由「方楞體」改為「尖茅體」，而露臺的裝飾扶手，從英式的「都鐸式裝飾」變為現今的「天鵝式」。

雖有部分變更，但湖心亭仍是臺中市的象徵，並是日治時期引進的「仿洋式建築」，在臺灣甚為少見，在1999年4月17日，湖心亭被臺中市政府指定為「市定古蹟」，範圍除了亭體之外，還包括附近的木造橋樑在內。目前市府已委託韓興興建築師事務所加以辦理「臺中公園湖心亭調查研究與修復規劃」，修復經費為六百萬元，目前已經修復完成，並開放民眾參觀。

🏯 被載仁親王種下的老樟樹

在明治 41 年（1908 年）10 月 24 日舉辦「臺灣縱貫鐵道全通式」時，主持典禮的載仁親王在臺中公園內種植一株樟樹 (54)，以作為紀念。

在當時，除了載仁親王之外，還有一些前來臺中公園參觀的「名人」也會種樹作為紀念，根據昭和 8 年（1933 年）由氏平要、原田芳之合著的《臺灣省臺中市史》記載，在明治 43 年（1910 年）2 月 1 日時，德國駐日大使前來臺中參訪，由臺中廳長枝德二親自接待，並到臺中公園的「物產陳列館」參觀，隨後也在公園種樹；而在同年 3 月 1 日，英國大使前來臺中，仍由枝德二陪同，來自臺中小學校、彰化小學校及犁頭店公學校的七百多名學生聚集在臺中公園內，一起大唱軍歌以表歡迎，而英國大使也到臺中公園參觀，對園內風光相當激賞，稱讚其為「臺灣的京都」，並在公園內種植一株榕樹留念。

雖有不少「名人」曾經在臺中公園植樹，但只有載仁親王所種植的樟樹受到重視，公園管理單位還在樹木四周建築一堵小石牆，加以保護並標示，以彰顯這棵樟樹的「特別」身分。

而這棵樟樹也受到照顧，一直到 2011 年 4 月間，被人發現其樹葉枯黃、掉落，健康情況相當不好，當時的《自由時報》以「臺中公園指標老樹　被市府種到快枯死」為標題加以報導，其內容如下：

> 臺中公園內一棵在一百多年前，由當時日本載仁親王栽種的百年樟樹，都種到「枯死了」？民進黨議員黃國書質疑，臺中市府連指標公

園內的指標老樹都無法保護好，難怪市政頻出狀況。

市府建設局已緊急找「樹醫生」前往診治，市府解釋，因為這棵老樟樹已成為臺中公園的重要景觀之一，各方遊客到臺中公園，都會去參觀這株老樟樹，造成這株樟樹周邊土壤過緊、無法呼吸，現在要趕快「鬆土」，救老樹。

黃國書表示，臺中公園是臺中的百年公園，市府這幾年來，常常編列預算在公園辦活動，但公園內的老樹卻頻傳「死亡」，包括多年前地方人士搶救一株爪哇合歡，但還是死亡，前臺中市議長張宏年曾捐贈了一批五葉松給臺中公園，也是不到兩年卻全部「枯死」，百年公園內處處是百年老樹，市府的不用心，卻造成老樹頻出狀況。

市府建設局則解釋，就是因為有立牌介紹，造成每個觀光客到臺中公園，都會到這株樟樹前參觀，據「樹醫生」前往診治的結果，因太多人踩踏，造成樹木周邊的土壤被踩到太緊，樹木無法呼吸，出現枯萎的情況。這棵樹還沒有「完全死」，市府正全力「搶救」，要先鬆土、未來考慮設置「觀賞區」的限制，不要讓太多人在周圍踩踏。

載仁親王手植之樟樹目前已枯死。

左頁圖：載仁親王手植之樟樹，在 2008 年時仍然枝葉茂盛。

臺中公園紀念明信片。

　　在此報導中,市府雖然有請「樹醫生」前來救治,但最後還是回天乏術,載仁親王手植樟樹在 2012 年春天時,也沒有冒出新芽,顯示已經毫無生命跡象,但市府目前未將這棵樟樹移除,仍然在原地保留,並在四周興建圍牆,以防止遊客進入而發生危險。

第七章

臺中公園的日治記憶

消失的神社與紀念碑

　　如果你再度搭乘「哆啦 A 夢」的時光機器，來到在昭和 11 年（1936年）的臺中市，會發現整個都市景觀 (55) 已和清代末期全然不同，這裡不再只是一個「大墩街」的小街市，在都市計畫之後，整個城市開始興建整齊的房屋，馬路也一一開闢，各式車輛在路上行走，道路兩旁還有電線桿和路燈，只不過在此時，有時也會有牛車的蹤跡。

　　除了外在的景觀改變之外，你也會發現這裡的人口變多了，而且還變得不一樣！到底有何不同？原來，大批的日本人移民到此地，除了部分為政府官員或是學校老師外，還有更多人是一般平民，他們來此經商做生意，或是開設律師事務所、醫院診所，還有人來這裡辦報紙，從事文化事業。

　　到底在當時的臺中市有多少日本人呢？以昭和 11 年（1936 年）的統計資料來看，臺中市（行政區約為現今臺中市的中區、東區、西區，以及南區、北區的大部分）有 74,839 人，其中日本人就占了 2 成 4 的

比率，也就是說，當時大約有 18,000 位日本人住在臺中市。

　　這個比率，在當時臺灣各城市中是相當高的，只比政經中心臺北市的 2 成 9 比率少了一些，顯示當時有不少日本人遷居臺中市。而這些日本人在此生活，又留下了什麼？目前在臺中公園內，仍然可看見他們的「足跡」。

 慢活在楊柳依依的綠川上

　　明治 28 年（1895 年）8 月，日軍進入臺中，並開始實施統治，尤其要改造這個城市。明治 33 年（1900 年），「臺中市區改正」公布實施，明治 38 年（1905 年）時，豐原到彰化間的鐵道修建完成，並設置了「臺中停車場 (56)（火車站）」。

　　為了改善市區環境，日本政府開始填土涸沼，明治 44 年（1911 年）臺中廳告示第 178 號公布「市區改正設計大要」，不但將綠川截彎取直，讓河道逐漸確定，並使得河川的排水順暢，不再氾濫成災，並在綠川沿

BOX

1936 年臺灣都市人口數排名

在 1936 年時，臺中市已經成為全臺第六大都市、中部第一大都市，當時的排名如下：臺北市 292,240 人，臺南市 116,451 人，高雄市 94,017 人，基隆市 89,690 人，嘉義市 77,093 人，臺中市 74,839 人，新竹市 55,015 人，彰化市 54,034 人，屏東市 46,398 人，宜蘭街 26,409 人，花蓮港街 22,737 人。

日治時期以截彎取直方式來整治綠川，並建立河道工程，使排水順暢，沿岸逐漸發展成市街。

岸興建護岸工事，自此，臺中市的現代化市區發展即展開。

在大興土木之際，日本政府也興建多條馬路橫跨綠川兩岸，如大正橋通（民權路）、櫻橋通（成功路）、新盛橋通（中山路）等，都是臺中市主要幹道，而沿綠川河岸也有綠川町通（綠川西街）。在四通八達的交通動線上，綠川成為市區內的主要河川，日本政府也以「綠川」為名，在當地設置「綠川町」作為行政區。

隨後，在綠川 (57) 兩旁開始興建日式商店及住家，兩岸開闢人行步道，種植柳樹以美化市容，經過了這一番的整頓，臺中市區已經完全改觀，清澈的河川橫亙於市街間，整齊、寬闊的大馬路，迎風飄逸的垂柳，

甚至還有漂亮的「鈴蘭」路燈，人們還可以沿著綠川河岸，悠閒地散步，從火車站一直走到臺中公園。

由於完成河川整治工作以及都市基礎建設，遠渡重洋來到臺灣的日本人，最喜歡住在綠川兩旁，因此在河岸兩旁蓋起了整排兩層樓的店面住家，其中有相當高的比率正是日本人所有。以昭和11年（1936年）的人口統計來說，綠川旁的「綠川町」中住有內地人（日本人）118戶、453人，而本島人（臺灣人）是131戶、615人，比率約在4比6，顯示移居臺灣的日本人，的確是喜歡住在景色優美的綠川旁。

在這些日本人當中，有一位名為宮原武熊的眼科醫生，他在昭和2年（1927年）在此開設「宮原眼科」醫院(58)，是當時臺中市最大的私人醫院。戰後，宮原武熊遭到遣返回日本，在臺灣的資產也被歸屬於臺中市政府所有，因而醫院成為「臺中市衛生院」（臺中市衛生局之前身），而其位於「水源地」（臺中一中旁）的別墅也成為「臺中市長公館」。

BOX

宮原武熊

明治7年（1874年）出生，奧地利維也納大學醫學博士與東京帝國大學醫學博士，曾於東京開設眼科醫院，並在臺灣總督府醫院擔任「醫長」（院長），大正15年（1926年）到臺中市開設眼科醫院，並積極參與當地的政治活動，曾經擔任臺中州州協議會員、臺中州州會議員以及臺中州私立臺中商業專修學校（現今新民高中）校長。戰後遭國民政府遣返，但在日治時期從事臺灣民族運動的林獻堂等人，直接上書給國民政府主席蔣中正，並稱許宮原武熊為「良善之日本人」，希望讓他留在臺灣，卻不獲許可，最後他只好將家產交給國民政府，返回日本故鄉。

幾經波折之後，「宮原眼科」醫院的原址已被轉賣，目前成為一家冰淇淋與簡餐的專賣店，吸引不少年輕人前來「古蹟」內用餐，而其立面裝飾和紅磚拱廊都保留下來，從其規模仍能想像當時的壯觀。

祭祀日軍魂的昭忠碑

日本占領臺灣時，不少軍人因戰爭之故死亡，還有人因水土不服以及衛生條件不佳，以致染上疾病死亡，因此日本政府在明治 35 年（1902 年）時，於「臺中第一計畫公園」預定地設立「臺中招魂社」，但後來公園預定地遷移到現址，而原址則為鐵道的火車站預定地，在明

左圖：「昭忠碑」目前已改名為「勝利碑」。
右圖：1905 年 11 月 11 日《臺灣日日新報》報導「昭忠碑」遷移到臺中公園。

治 38 年（1905 年）2 月間，又將「臺中招魂社」遷建於臺中公園內，並改名為「昭忠碑」，總興建費用為 1,100 元，於明治 38 年（1905 年）11 月 4 日完工。

　　據說昭忠碑的地基相當穩固，明治 38 年（1905 年）11 月 11 日的《臺灣日日新報》漢文版有〈臺中告設昭忠碑〉的報導，其中指出：「地下崛以三尺，疊以丸石，敷以三合土，可謂堅牢無比。」

　　除此之外，昭忠碑上也有當時臺灣守備軍司令官上田有澤所題「昭忠碑」三字，並由當時臺灣民政長官後藤新平來撰文紀念。而昭忠碑的設置是為了紀念日本攻臺時在中部地區戰死的將士，日本政府都會舉辦春、秋二祭，並動員官民前來祭拜，其後在臺灣發生的討伐戰役中所戰亡的將士，也會在此辦理「招魂祭」，例如在第五任臺灣總督佐久間左馬太（1906 年～ 1915 年擔任臺灣總督）的「五年討番」計畫中，以包圍的方式從東西包夾「泰雅爾族」原住民，從明治 43 年（1910 年）起，駐紮在臺中的「臺灣步兵第一聯隊第三大隊」集結於新竹的竹東一帶，發動所謂的「李棟山之役」，而在隔年則編組為「臺中前進隊」，出發前往花蓮一帶討伐「北勢番」（太魯閣族）。這兩場戰役中陣亡者，都

上田有澤（1850 年～ 1921 年）

出生於日本德島縣，曾經參與西南戰爭（日本明治維新最後一場內戰）、日清戰爭以及日俄戰爭。明治 37 年（1904 年）11 月 2 日擔任臺灣守備軍司令官，明治 39 年（1906 年）參與日俄戰爭，擔任第五師團之師團長，因建立軍功而獲得一等旭日大綬章。

在臺中公園內的昭忠碑舉辦「招魂祭」。因此，這個儀式除了有安慰亡靈之意義外，更重要的是讓來臺日本人了解對臺灣的統治有信心，並向臺灣人民宣告日本帝國的武力強盛。

戰後，國民政府接收臺灣，開始清除日治時期的種種遺緒，其中昭忠碑上的石碑及銘文都加以拆除，並改名為「勝利碑」，以紀念抗日勝利。

日本神明入住的臺中神社

明治 28 年（1895 年）日本帝國占領臺灣，大批日本人前來此地，並將「神道教」的信仰也帶來，在臺灣各地興建神社。以臺中市來說，最早興建的是明治 30 年（1897 年）在新富町（現今三民路光復國小一帶）的稻荷社，而明治 35 年（1902 年）「臺中第一計畫公園」預定地上興建「臺中招魂社」，紀念攻打臺灣時的陣亡軍人，但最著名的神社

BOX

神道教

此宗教起源於日本民族的傳說與神話，根據日本《古事記》及《日本書紀》的記載，第一任天皇為「神武天皇」，在西元前 711 年統治日本，日本的紀元即從此時起算，而神武天皇本身已為神明，受到人民的崇拜，至於日本民族的信仰，是將山川、瀑布、大樹、動物等，都視為有神明附身，屬於多神信仰模式，至於歷代天皇也是神明。由這些神明組成了日本民族的信仰，稱之為「神道教」，與中國傳往日本的佛教大不相同。

「縣社」臺中神社。

應是臺中公園內的「臺中神社」。

　　臺中神社的籌建始於明治 43 年（1910 年），由臺中廳長枝德二召
集地方人士三十多人聚會討論，隔年 1 月 4 日，由小畑駒三（臺中街）、
安土直次郎（臺中街）、小鹽源太郎（臺中街）、山移定政（臺中街）、
坂本素魯哉（臺中街）、林烈堂（阿罩霧庄）、吳德功（彰化街）等人
為「總代」來首倡，其建立意見書上載明：「十多年來，臺中一帶的內
地人（日本人）及本島人需要建立神社以供祭拜，希望將臺灣神社（臺
北市）分靈於風光明媚的臺中，讓公眾得以參拜。」上呈臺中廳長枝德
二，再轉呈當時的臺灣總督佐久間左馬太，於明治 44 年（1911 年）2
月獲得總督府的許可，得以公開募款興建神社。

臺中廳長枝德二擔任「創立委員長」，負責募款及籌建等事宜，在各方熱烈捐款下，臺中神社於大正元年（1912 年）10 月 27 日開幕，但根據目前所蒐集的捐款收據資料，當時除了民間及企業的捐獻之外，日本政府也向臺中廳（臺中縣市及彰化縣）的民眾募捐。在募款完成之後，臺中神社建社於臺中公園內，總面積為 1,200 坪，包括了鳥居、本殿、拜殿、社務所、手洗水舍、中門、神橋，並被列為「縣社」，由地方政府籌措祭祀及管理費用。

　　而臺中神社的總經費高達 40,500 元，其中除了建築費用外，並將留有基本運作財產 12,000 元，以為日後神社運作使用。而臺中神社由名古屋名匠伊藤滿作設計及建造，在明治 43 年（1910 年）10 月 23 日奠基，並在明治 44 年（1911 年）10 月 27 日舉辦「竣工鎮座式」，由當時的臺灣總督佐久間左馬太前來參加典禮，並在典禮後巡視臺中市區，就在此時，他將臺中火車站前的「新盛川」改名為「綠川」。

　　但在完工之後，臺中神社的募款工作並非順利，大正 2 年（1913 年）9 月，臺中廳長枝德二向臺灣總督提出募款延期申請，到了大正 5 年（1916 年）又以「歐戰（第一次世界大戰）導致市況沉衰」為由，再度向臺灣總督提出延期募款申請。但因神社的大部分工程早已完工，因此在大正 2 年（1913 年）5 月 29 日被列為「縣社」，主祀所謂造育三神（大國魂命、大已貴命、少彥名命）及指揮攻臺戰役的能久親王（北白川宮）。至於神社位於臺中公園內的兩座鳥居，是以石頭打造，而位於公園外的大鳥居，則是以銅金屬來打造，而其內的拜殿、社務所等建築，全數採用臺灣紅檜作為建材。

神社在完工之後，臺中廳（日後為臺中州）下各庄街都遴選出社務委員，參與神社的募款及運作，通常都是由該庄街的首長來擔任，而每逢天長節、明治節、臺灣神社祭等節日，日本政府都會要求官民前往參加祭典。到了昭和12年（1937年）「支那事變」（中日戰爭）之後，不少被徵召從軍的日本人也會到神社參拜，以祈求國運昌隆、平安歸家，而在戰爭期間，日本政府為了加強人民的忠誠，學校還規定在學的學生每月兩次到臺中神社參拜，在參拜日時，每位學生在一大早就要起床，然後走路到臺中神社參拜，參拜的儀式很簡單，只要站在神社前拍幾下手，然後默禱祈求「聖戰勝利」，結束之後就回到學校上課。

戰爭期間臺中女中的學生到臺中神社參拜，並歡送軍人出征。

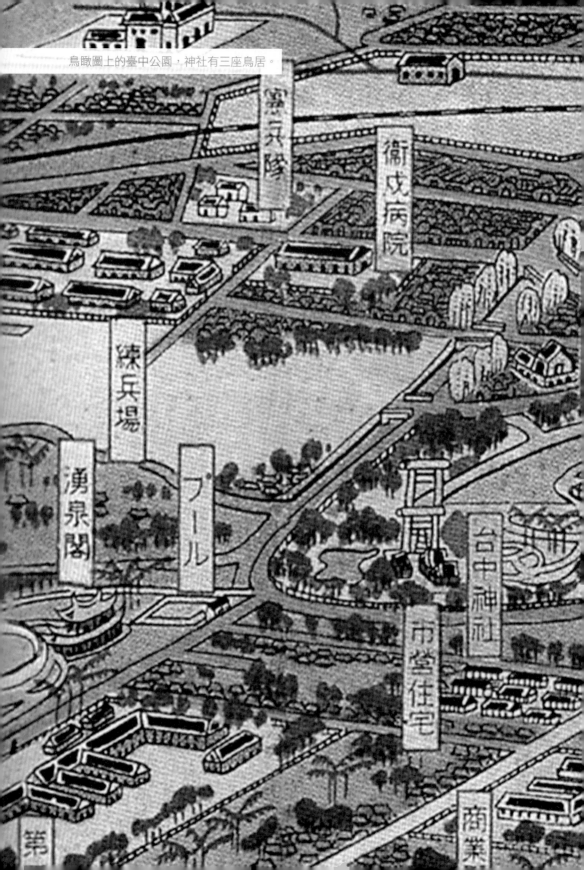

鳥瞰圖上的臺中公園，神社有三座鳥居。

第

商業

湧泉閣

練兵場

フール

台中神社

市堂住宅

憲兵隊

衛戍病院

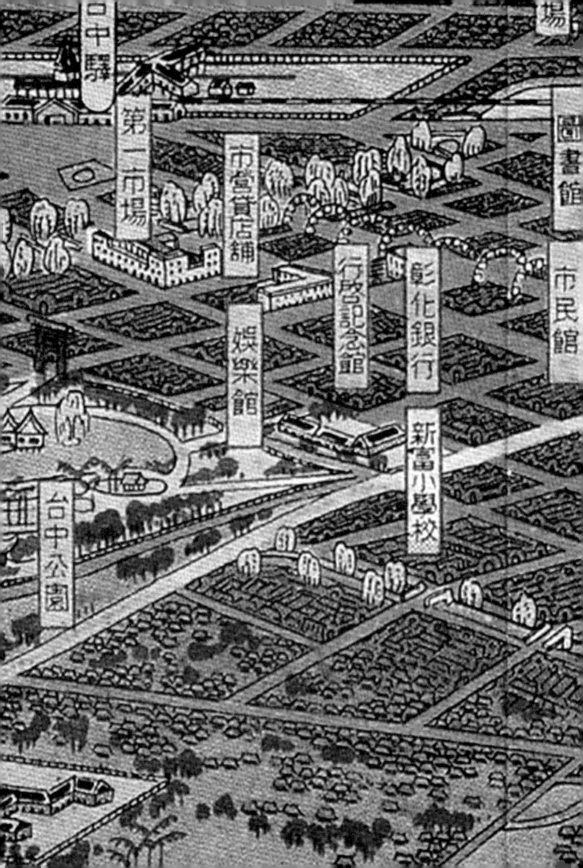

到了昭和17年（1942年），日本已發動太平洋戰爭，並與美國、英國等宣戰。在戰爭日益擴大下，日本政府為了強化人民對於國家的忠心，將臺中神社由臺中公園原址遷移到水源地附近（現今忠烈祠），並由「縣社」升格為「國幣小社」，納入中央政府的體制之內，祭祀費用直接由國庫支付。

　　在新的臺中神社興建之後，位於臺中公園的神社則被拆除，日本政府並將其中一座鳥居的石柱豎立在神社舊址之內，並刻上文字以為紀念。戰後，國民政府在此豎立孔子像，並拆除神社所遺留的相關事物，將日本政權所遺留的神社遺址加以消滅，曾任南屯區區長的詩人林友仁的一首〈東墩懷古〉吟道：

　　　　銅駝荊棘自蕭蕭，神社荒涼霸氣消。惟有一輪舊時月，依稀煙景似前朝。

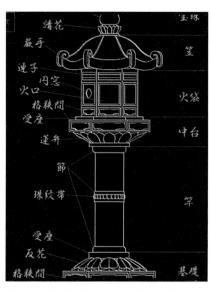

石燈籠的完整構造及各個細部名稱。

　　第一句中所謂的「銅駝」，是指銅製的駱駝，在中國古代會將銅駝放置於宮門外，而且「銅駝荊棘」是指宮門外的銅駝旁邊，都長滿了荊棘，以此來形容國土淪陷後殘破的景象，此一典故出於《晉書・索靖傳》。林友仁在

上圖：倒臥在地上的鳥居。

下圖：石燈籠僅剩下「竿」的部分。

戰後的這詩詞中，以「銅駝荊棘」來形容臺灣遭日本統治時期的悲哀，而在第二句則點出日本戰敗之後，臺中神社荒涼之情景。

　　臺中神社的遺址就被棄置在當地，直到 2000 年時，臺中市政府進行公園整修時，才將神社的鳥居重新組合，但這次組合時發現原本的兩座石製鳥居已遺失不少，甚至組合不成一座，只好重新打造兩根石柱，才勉強讓鳥居成形，但已經無法「站立」起來，最後就放倒於地上以供後人憑弔，至於當時奉獻金錢來興建神社者的石燈籠，也遭到破壞，目前僅剩下部分的石燈籠的「竿」部分，存留於此。

找到紀念碑的前世身分

　　在臺中公園的大墩上，有一座特殊的紀念碑，你若是在夏日的午後前往，會發現紀念碑旁有一棵高大壯碩的「爪哇合歡」，涼爽的樹蔭裡聽見吱吱的蟬鳴，而紀念碑上，總有幾位狀似遊民的男子橫臥於此，享受夏日午後的清閒，有時也會看見成群的外籍勞工，在此聚集歡唱。

　　其實，這座紀念碑在大墩之上已有百餘年的歷史，但從其外觀視之，卻書寫著「抗日英雄紀念碑」，在百餘年前，臺灣屬於日本的殖民地，為何會有「抗日」紀念碑的存在呢？追究其歷史，我們發現在日治時期，這原本是紀念臺灣第四任總督兒玉源太郎，在此放置其「壽像」（大理石雕像）所在，而純白的雕塑象徵著日本統治者的威嚴及功勛，與所謂的「抗日」根本扯不上任何關係。

　　兒玉源太郎是在明治 31 年（1898 年）至 39 年（1906 年）間擔任

臺灣總督。對於日本帝國而言，兒玉
總督不但平定臺灣島內的武裝反抗勢
力，更為臺灣的各項建設建立基礎，
並在短短數年間，將臺灣的財政收入
增加，足以自給自足，不用依靠日本
本國的挹注。而在兒玉源太郎離開臺
灣之後，以辜顯榮為首者的民間有力
人士就倡議在臺北的「城內公園」及
臺中的「臺中公園」建設兒玉源太郎
壽像。

　　由於公園土地是屬於公有地，
並沒有徵收土地的問題，但雕像及基

兒玉源太郎「玉像」。

座的建造則需要一筆資金。以臺中公園來說，在明治40年（1907年）
就展開籌募工作，當年的1月5日動工，使用最高級的細緻石材來作為
建材，直到6月12日由當時的臺灣民政長官祝辰巳率領苗栗、南投、
臺中及彰化廳長，在臺中公園舉行「除幕式」，辜顯榮等人皆到場參加。

　　兒玉源太郎壽像總經費為4,900元，其中大理石玉像的雕刻費用即
高達2,300元，據說還請義大利雕刻師來製作，興建經費則是由苗栗、
南投、臺中及彰化廳來募款支出。然而，兒玉源太郎為日本統治者，雖
對臺灣多有建設，但也強力鎮壓臺灣的反抗勢力，其雕像高高矗立於大
墩之下，讓當時不少臺灣人反感，霧峰林家的林朝崧（號痴仙）寫下一
首〈春日遊臺中公園〉，其中就如此道：

君看石像聳雲表，英姿颯爽褒鄂推。萬人瞻拜徒為爾，一代雄豪安在哉。

戰後，臺灣行政長官公署為了要「掃除日本文化遺毒」，在1947年將兒玉源太郎壽像拆除，並興建「抗日忠勇將士民眾紀念碑」，以紀念在抗日戰爭中死傷的軍民。目前兒玉源太郎壽像雖已不復見，但其基座卻保留下來，成為臺中公園內珍貴的文化資產。

國民政府將兒玉源太郎玉像拆除，並興建「抗日忠勇將士民眾紀念碑」。

還沒有中山銅像的臺中公園

站在臺中公園的大墩上往西南方望去，可以看見另外一尊孫中山先生的銅像。在日治時期，這尊銅像並不是孫中山，而是曾經擔任過臺灣總督府民政長官的後藤新平。

後藤新平壽像是在明治44年（1911年）所興建，是為了紀念後藤新平對臺灣的貢獻，由林季商、辜顯榮等人倡建，在當年的10月開工，其中銅像費用2,800元，基座費用為3,700元。明治45年（1912年）的4月3日舉辦「除幕式」，正式為其揭幕，並由當時的臺灣總督府代

理民政長官高田元治郎主持，至於主其事者的林季商，則由其當年才13歲的女兒林雙蘭擔任「除幕」進行的工作。根據明治45年4月5日《臺灣日日新報》第二版的描述：

當天正是神武天皇祭日，總共有三百多位來賓參加，都在壽像正面排列整齊，並由林雙蘭進行「除幕式」，在儀式進行時，只見林雙蘭的纖手將纏繞在壽像上的白布拉下，後藤新平男爵的雄姿立刻出現在眾人面前，此時現場來賓都拍手喝采，隨即響起的奏樂聲也此起彼落。之後由委員長枝德二朗讀「式辭」，而林季商也進行工事及會計報告，副委員長辜顯榮接著致辭，感謝大家的參與。

最後參與者繞行壽像一周並三呼「萬歲」，結束了整個「除幕式」。在儀式進行當天，天氣相當晴朗，而因是神武天皇的祭日，公園內的遊客也較平日多，不少人都前來圍觀，盛況非常。

林季商（1877年～1925年）

原名林資鏗，號祖密，字季商。出生於霧峰林家「下厝」，是著名武將林朝棟的兒子，在日本占領臺灣之前，即隨父親到中國，直到社會治安較為平定之後才回到臺灣，處理家族產業。由於戰亂之故，林家在中部的部分產業遭人侵吞，林季商周旋於日本人之間，並透過當時的臺灣民政長官後藤新平取回不少被占的祖產，大正元年（1912年）時，林季商即積極參與籌建後藤新平壽像的工作。同年7月又赴中國發展事業，並追隨孫中山投身於國民革命，被任命為閩南軍少將司令；大正14年（1925年）7月，當時的廈門鎮守使張毅所部疑林季尚與閩南各縣民軍聯絡，呼應廣州方面來發動革命，以假借進剿土匪之名義將他逮捕，隨即遭到殺害。

左上圖：後藤新平。

右上圖：1908年為興建兒玉總督玉像以及後藤民政長官銅像，民間成立「建設會」並
發動募捐，此為當時的募款收據。

下圖：後藤新平銅像在臺中公園興建時，所發行的紀念明信片。

由於後藤新平男爵壽像是銅製塑像，經過氧化後呈現黑色，因此被臺中人稱為「黑人」，而在大墩上的兒玉源太郎玉像（大理石雕像），則是為白色，被稱為「白人」，剛好呈現一黑一白的情況。

但當時臺灣人之中，有人對日本統治相當不滿，更對矗立在臺中公園內的後藤新平壽像十分厭惡。知名的鹿港文人洪棄生（1867 年～1929 年）以詩文加以諷刺，他在〈大墩公園雜詠十二首〉中，有一首詩詞寫道：「民政有前官，當途立榜樣，膨脝石丈人，睢盱饕餮相。」（曾經擔任民政長官的人，為掌握政權者立下榜樣，但在我看來這只是一個大腹便便的雕像，傲慢仰視的姿態像是貪食的野獸一樣。）

大墩公園即為明治 36 年（1903 年）設立的「臺中公園」。臺中舊名「大墩」，日本政府在明治29年（1896年）將「大墩」改名「臺中」，但洪棄生堅持使用清代的舊名，而其詩文中以「睢盱」（傲慢仰視）與「饕餮」（在中國傳說中的貪食野獸）來形容後藤新平的銅像，顯示對外來統治者的不屑與輕視。

在戰後，國民政府下令「掃除日本文化遺毒」，因此將後藤新平壽像拆除，並在 1947 年籌組「臺中市各界籌塑國父及元首像委員會」，由林金藻擔任主委，聘請宜蘭縣籍藝術家謝春光製作，並由臺中市的建築師陳阿九承造，耗資九十萬元臺幣。孫中山的銅像就安置在後藤新平壽像的原址，採用孫中山的「戎裝」外觀，至於元首（蔣介石）銅像則安置在臺中火車站前廣場，這兩個新銅像都在 1947 年 10 月 10 日「國慶日」舉行揭幕典禮。

但在 1969 年 9 月 27 日時，強烈颱風艾爾西襲臺，臺中公園毀損

左圖：戰後第一代的孫中山銅像。
右圖：現今第二代的孫中山銅像。

相當嚴重，而孫中山銅像因材質不佳，竟被強風斷裂為二，成為一大笑談。為了彌補過失，臺中市議會特別通過 119 萬元的預算，將臺中公園內的孫中山銅像重建，市議會特別還要求，銅像的材質不但要堅固，更要能經歷風雨，才能歷久不衰。

1970 年 10 月，孫中山銅像重塑工作完成，此次更改外觀，不再採用「戎裝」而改以「中山裝」外觀，隨後舉辦揭幕儀式，並由當時的臺中市長林澄秋勒石為記。紀念碑文如下：

臺中公園，花木叢茂，水榭亭臺，精雅別緻。光復之初，市政當局，緬懷國父獻身革命，締造民國，功重彪炳，永垂青史，爰於園中恭立國父銅像，以供市民瞻仰，惟以時久浸蝕，有失壯觀，僅就原址，重鑄奉立，藉資景仰尊崇，茲值落成之日，特誌斯言，以為紀念。

第八章

計算的原點從臺中公園開始

日治時代的土地丈量

臺灣的土地私有觀念，來自於外來移民，在原住民社會中只有社群或是族群的領域觀念，沒有土地私有以及個人所有權的概念，直到荷蘭殖民者來到臺灣之後，征服原住民並將土地占領，以「荷屬東印度公司」來治理，由公司提供耕牛、種籽、水利修築的費用，而漢人則僅具承租田地的佃農地位，田土因而稱「王田」。

　　明鄭時期到清代統治，漢人移民 (59) 逐漸增加，起先有特權者向政府取得「墾照」，獲得「墾首」之資格，再向原住民「贌」耕土地，後世稱其為「大租戶」，而墾首將其間的廣大的土地，分別出租給「小租戶」（墾戶），經過一段時間的開墾，小租戶再將承租得來的土地再細分為小塊地，並轉租給「佃農」，因此，在當時臺灣的土地所有權上，

大租戶

臺灣總督府進行「林野調查」之後，在明治 37 年（1904 年）加以統計臺灣的大租戶約有 38,000 人、小租戶 30 萬人、佃戶有 75 萬人。而當時所謂「臺灣五大地主」分別是臺北板橋林本源（5,300 甲）、臺中阿罩霧林獻堂（1,500 甲）、臺中新庄仔吳鸞旂（800 甲）、臺中阿罩霧林季昌（700 甲）、新竹何如蘭（500 甲）。

土牛

又稱土牛溝或土牛紅線，官方以「挖溝推土」方式，構成漢番界線，由於其堆高的土墩，遠遠望去彷彿一隻躺臥在地的水牛，因而得名。這是臺灣在清代時期官方所設置的界線，用於區分漢人與原住民的生活區域，以防發生衝突，而在其後這些土堆也形成「土牛」的地名，在臺中市的東區以及石岡區，都有此一地名，甚至在現今的石岡區還有「土牛國小」。

存在了「三階層土地所有關係」。

雖然土地關係相當複雜，但土地的丈量也不清不楚，尤其在清代統治期間，大租戶開墾土地之後，依法必須升科立稅，但臺灣位於中國東南海外，正所謂天高皇帝遠，大租戶往往開墾許多土地，並擅入「番界」或越過「土牛」開墾，但只呈報一部分給官府課稅。因此，在清代統治時，政府並無法得知田地的實際總量。

直到劉銘傳擔任臺灣巡撫時代，才開始清丈土地、重訂稅則，使得富豪之家無法隱藏土地數量，而臺灣的田賦收入也比以往多出一倍餘。但清廷並未採用較科學的先進方法來丈量，對於土地的實際大小無法提供準確的依據。

一塌糊塗的清代土地測量

劉銘傳（1836 年～ 1896 年）在光緒 11 年（1885 年）前來臺灣擔任巡撫，開始大幅實施「新政」，不但開山撫番，討伐原住民部落，並設立電報局、發展鐵路與航運、推廣農業耕種、清理稅賦等，由於這些新的建設需要大量的資金才能運作，劉銘傳即從「清丈土地」和「清理賦課」下手。

光緒 13 年（1887 年），劉銘傳 (60) 上奏「丈量臺灣田畝清查賦課摺」，說明清丈臺灣土地的必要性，受到清廷重視而批准實施。接著，劉銘傳在臺灣實施「清丈章程」，全力在臺灣推動土地重新測量及登記制度，但因此制度首先損及大租戶的利益，而這些人在當時都已是大戶

豪門，甚至已有子弟在朝廷為官，因而全力抵制，再加上劉銘傳急功近利，為了迅速清丈土地，其下屬利用權勢惡行弊端，甚至收受賄賂，而且在測量土地時，所使用的尺度不統一，讓貪官汙吏得以藉機中飽私囊，甚至恐嚇良民，因而光緒14年（1888年）在彰化爆發民眾抗爭，公推浸水庄（埔鹽鄉新水村）地主施九緞為首，以神靈託夢為由，高舉「官激民變」大旗前往

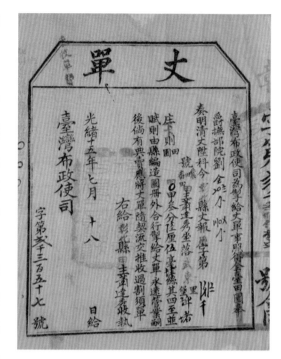

清代臺灣巡撫劉銘傳實施土地清丈，並且依據清丈結果，對於土地所有人發給丈單，內容記載業主姓名、土地坐落、田園等則、地積甲數等資料。

彰化縣城「抗議」，最後竟演變成圍攻縣城，最後清廷派林朝棟前來平亂，解救彰化縣城遭圍之危機。

但因林朝棟出身於「阿罩霧林家 (61)」，在臺灣也是屬一屬二的大地主，對於參與民變者相當同情，提議清廷從寬處理，而引發此一事件的首領施九緞則為鄉民所掩護，未被逮捕歸案。而此事件之後，代表著劉銘傳的土地丈量政策失敗，整個計畫被迫停止，最後他在光緒16年（1890年）離職，之後其新政幾乎都停擺。

🏠 臺灣史上首次的三角測量

明治 28 年（1895 年），日本帝國占領臺灣，並在明治 31 年（1898年）時，由臺灣總督府民政長官後藤新平在臺推動土地調查事業，制定「臺灣地籍規則」、「臺灣土地調查規則」，正式展開臺灣的土地調查事業，設立「臨時臺灣土地調查局」。

為了有效推動調查工作，避免重蹈清代劉銘傳所犯之錯誤，後藤新平兼任局長之職務，並在各縣、廳內設置支局，支局之下又設立派出所，以現代化行政管理推動全島土地調查業務。

在開辦前，臨時臺灣土地調查局先規劃整體作業流程，其後又招募人員，在各實施地區張貼調查公告及舉辦說明會，在明治 31 年（1898年）9 月 17 日正式展開土地調查工作，經過七年的作業，完成後總調查面積達到 777,850 甲，並發現「隱田」（從未申報課稅土地）面積達345,958 甲。

在詳細的土地調查之後，政府田賦課徵面積大增，收入因而增加。而在調查土地的同時，臨時臺灣土地調查局也完成全島之地籍測量與三角測量工作，全島土地測量完成，讓臺灣的土地權利明確化，從土地臺帳、地籍圖、庄圖、堡圖等圖冊繪製編成，政府得以掌握臺灣的地理資訊。直到今日，臺灣不少的土地糾紛仍舊必須依據日治時期所繪製的地籍圖，才能解決爭議。

臨時臺灣土地調查局的土地調查工作，必須擁有精準的測量，才能讓臺灣的土地管理邁入現代化，而三角點的設置正是測量土地的首要

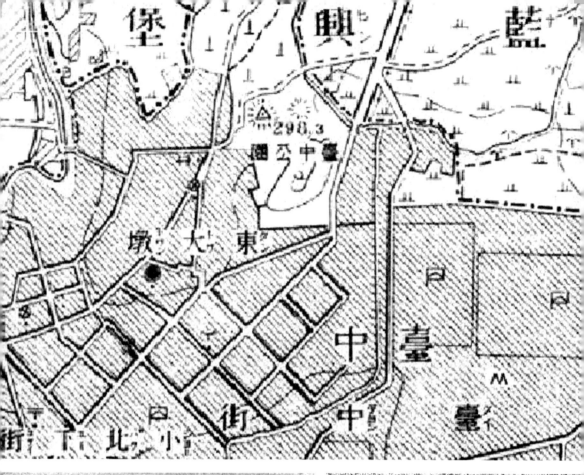

上圖：臺灣堡圖之臺中公園。

左下圖：臨時臺灣土地調查局人員在臺中附近進行測量工作。

右下圖：臨時臺灣土地調查局人員在臺中公園的大墩上進行測量。

工作。三角點是三角測量、三邊測量、導線測量的測站點標誌，明治31年（1898年）臨時臺灣土地調查局成立之後，開始了平原及淺山地區的地籍測量作業，當時就有零星設立一些基石，作為小規模的測量。

　　直到明治33年（1900年）8月間，全面性的測量作業展開，於臺中公園的「砲臺山」設置第89號三等三角點，以此為原點展開臺灣史上第一次的三角測量，由臨時臺灣土地調查局技師池田文友及技手大江狷三郎進行觀測，得到經緯度為東經120度41分45秒、北緯24度9分30秒，方位角為17度44分45秒（臺中原點至主點第30號葫蘆墩方向），原點旁另有三等三角點第120號和第160號，作為原點的「引照點」，三者以45度直角三角形排列，萬一原點遺失時，根據原來三點之間的相對位置，可以重新補立原點。

　　由於臺中公園的第89號三等三角點是全臺第一座三角點，稱為「全臺三角點原點 (62)」，與埔里的「臺灣地理中心碑」、嘉義的「北回歸線碑」同樣具有測量地

第89號三等三角點基石已被深埋地下，其上設立一座原點紀念碑代替，並標示經緯度及海拔高度。

理上的意義。在日治時期，臺灣各級三角點共約 8,000 點，而地籍、水利、農林的土地測量的三角點編號是在 2,000 號以下的三等三角點，這些三角點均是以臺中公園的第 89 號三等三角點為原點，並用平面直角座標法擴及全臺。

以日本帝國的情況來說，在明治 10 年（1877 年）就開始進行全國地籍調查，而明治 29 年（1896 年）之後，全國的三角點的材質統一使用小豆島的花崗石；明治 31 年（1898 年）成立臨時臺灣土地調查局，從明治 33 年（1900 年）到 37 年（1904 年）間完成三角測量，並以臺中公園的第 89 號三等三角點為原點，成一座標系統。三角點的號碼以漢字直刻，從苗栗鍋鼎山的第 1 號三角點至澎湖大礁山的第 1160 號三角點，全臺的土地測量始得完備。

在三角點初設之際，日本政府惟恐民眾加以破壞，因此出示告示曉諭，以臺中為例，臺中縣知事木下周一先於明治 33 年（1900 年）8月 7 日頒布「臺中縣告示第 62 號」，內容如下：

出示事，照得臨時臺灣土地調查局將於本年八月在本縣下援用三角測量之法，開行丈測，為此，理合行出示，仰爾民人一體知悉，特示。

除此之外，為讓人民了解，臺中縣隨後又以漢文，頒布了「臺中縣告諭第一號」，內容如下：

剴切曉諭事，照得此次於臨時臺灣土地調查局將以三角測量之法，

左圖：設立於大墩山下的「臺灣測量三角原點紀
念中心碑」。

右上圖：第 120 號三等三角點基石。

右下圖：第 120 號三等三角點外觀。

向本縣下開丈，是係審丈各街庄社以及山川道路等位置，而欲繪定輿圖起見，實屬現下緊要之舉也，凡各街庄社等民眾，亦宜歡迎而幫成此舉，以期地圖完全，抑以三角測量之法，開丈必於各處山頂或於平地，豫先按定測點並架測樓，爾等民人需知此測點即為測丈之根基，若有人故為傾移或損壞，則其測丈竟歸無效，可知毫厘不得移動者也。至於山頂測點必久遠保全，不能遽撤，若平地測點，一年之後方可撤去是也，測點之或在田園內，按定方位萬不得移越，又不得損壞者，固不待言也，所有架測樓之料均資諸別處搬至，而所過道路以縣外之地或不免進踏山林原野及田園之地，而且其各測點務期樓樓相望，是以視射所達之間，如有竹木叢出以及諸遮視之物，不得不隨時砍截者，是屬三角法測量之所不得已者也，理合出示曉諭，為此諭仰轄下各色民人知悉，爾等須深會此意，不得輕動妄言、藉機生事，其各凜之、遵之切切，特諭。

由上可知，當時日本政府為了要實施測量土地所需，利用各處山頂設置三角點，而在平地也架設「測樓」，使其能仰望設置在山頂的三角點，而目視範圍之內的阻礙物，必須一律砍除，才能達到所謂「樓樓相望」，測量工作也才能順利完成。

在臺中公園大墩上的第 89 號三等三角點正是臺灣測量之「原點」，具有相當的意義及價值，但在 1980 年代，臺中市政府重新在此矗立紀念石碑，將原點石碑深埋於地下，至於其中第 160 號三等三角點的石碑，因遭人破壞而斷裂，迄今仍未修復。

第九章

臺中公園的納涼時代

夜市、商展與其它

1930 年代臺中公園風景明信片。

1930 年代臺灣總督府鐵道部所印製的旅行參觀折頁，封面即使用臺中公園的「池亭」，顯示在當時，臺中公園已成為臺中的名勝。

　　如果有一個日本人在昭和 7 年（1932 年）來臺灣旅行，想在行程中規劃一天，到臺中市的臺中公園參觀，他要怎樣行動呢？

　　當時，並沒有專門辦理旅遊的旅行社，也無法上網找尋網誌或是攻略，更不能帶著手機，隨時靠著 Google Map 來確定方向，他要如何在臺灣各地旅遊呢？

　　這是在八十多年前的自助旅行，情況當然與現今有所不同，但人們的思維卻不會相差太遠。在沒有網路、手機以及旅行社的年代，這位日本人剛從基隆港下船時，手裡可能是拿著一本當年度由臺灣總督府鐵道部出版的《臺灣鐵道名所案內》，可以按圖索驥來尋旅遊景點。

　　1930 年代之後，就有不少日本人前來臺灣旅遊或是蜜月旅行，而臺中位於臺灣縱貫鐵道 (63) 的中點站，又有輕便鐵道及公路通往日

月潭、霧社、八仙山等著名風景地點,正是行程的重點。當時,這些來自溫帶地區的日本人帶著奇特的觀感來到了這個「異域」之島,此地充滿了南洋的風情,又是屬於日本帝國最南方的領土,全島的臺北、新竹、臺中、嘉義、臺南、高雄等大都市一一規劃完畢,基隆港及高雄港也開港航運,日本到臺灣的交通以及臺灣內地的交通都已逐漸完備,讓日本民眾得以前來臺灣進行觀光、旅遊活動。

其實,從明治41年(1908年)「臺灣縱貫鐵道全通式」以來,臺灣西部各地的交通變得順暢,以往從南到北需要一週以上的時程,現在因火車的行駛而縮短到一天之內。在全通式之時,臺灣總督府就致贈每位貴賓一本《臺灣風景及風俗寫真帳》及《臺灣鐵道紀要》,讓貴賓們了解臺灣各地的風景特色。此後,臺灣總督府鐵道部出版了第一本圖文並茂的《臺灣鐵道名所案內》,介紹鐵道沿途的風景,並作為旅遊指南使用,往後每年不定期出版。在書中,以日文詳細介紹了縱貫線鐵道沿線各站的地理位置、周邊名勝、自然景觀、物產、旅館宿泊、飲食和交通資訊,並附上多幅景觀照片,藉由這些圖文的傳遞,呈現給讀者一個充滿想像的「臺灣印象」。

除了官方版的《臺灣鐵道名所案內》之外,半官方或民間組織出資所編纂的各種臺灣旅遊

臺灣縱貫鐵道臺中站郵戳。

指南、名勝介紹、寫真帖和遊記等書籍或是簡介，其中包括了臺灣總督府鐵道部所印行的《臺灣鐵道案內》、《臺灣鐵道旅行案內》、《沿線要覽》、《臺北及其近郊》、《太平山案內》、《臺中及其近郊》、《臺南及其近郊》等書籍及折頁書，除了介紹臺灣風光之外，鐵道沿途及附近的景觀也一一介紹。

　　這些旅行書刊的發行，所預設的讀者或是消費群都是針對不熟悉臺灣的日本人，因此在書中還詳細載明了有定期往返神戶、基隆間乘客的行李託管辦法，和臺灣、內地間乘客行李託運、提取的車站和港口一覽表、車站附近提供飲食的店鋪名錄，並精確地提供臺灣各大城市各月平均溫、雨量、風力的年平均值，以及各車站包括旅客輸送人數、運送貨物噸數、對外貿易品總額等，又增加臺灣本島開發小史、地理位置、地勢、氣候、作物、主要產業、地方交通建設以及教育、衛生概況等的文字描述。

　　另外在這些介紹的書籍中，也記載著「鐵道省」為了遊客遍覽臺灣的便利，發行了「臺灣遊覽券」。這種遊覽券是採預購，包括了內臺定期航船票、鐵道券、自動車券、旅館券在內，遊客在購買之後，可以享受通行及住宿的優待折扣，折扣範圍在 10% 至 20% 之間。

　　在上述的旅遊資料中，我們可以想像在昭和 7 年（1932 年）時，若是有一個日本人前來臺灣旅遊，他在基隆港下船之後，絕對不會迷失方向。雖然在那個時代，沒有手機、網路，但根據昭和 7 年（1932 年）臺灣總督府交通局鐵道部所出版的《臺灣之旅》折頁書中，建議他以 13 天的時間來遊覽全臺，其中第九天正是安排到臺中市的行程，而這

天可以前往臺中公園、行啟紀念館、水源地、臺中神社、青果檢查所等地參觀，而夜宿在市區內的「春田館」及「千代之家」。

🏛 裕仁皇太子走過臺中公園

臺中公園原本只是當地的一座地區性公園，但在鐵道開通、池亭興建以及神社完工之後，透過媒體的報導及交通建設的發達，讓公園內的亭園之美、景觀之勝漸漸為人所知。接著，又透過《臺灣鐵道旅行案內》等旅遊書籍以及旅遊指南手冊等介紹，呈現人工與自然的相互融合的美景。

其實在明治 28 年（1895 年）日本占領臺灣時，此地一直被日本人視為「蠻荒的熱帶」，風土及習俗都不同於日本本國，山林間還藏有反抗日本統治的武裝組織，再加上瘧疾等疾病的威脅，不少日本人根本無法想像臺灣的情況，甚至是畏懼前來臺灣，但經過臺灣總督府十多年的治理，在軟硬兼施下又配合嚴刑峻法，終於將治安問題解決。在兒玉源太郎擔任臺灣總督時代，基隆港、西部縱貫鐵道及各地的公路交通一一完成，讓前來臺灣旅遊變得容易，也變得有可能。

在治安、交通的情況改善下，日本皇族帶頭前來臺灣，一覽所謂「帝國國境之南」的景色，尤其是臺中公園，從明治 41 年（1908 年）閑院宮載仁親王前來臺中之後，日本皇族及重要政壇人物也一一前來，並在臺中公園植樹或是遊賞，連英國、德國等外交使節前來臺中市拜會，也會到公園參觀。

左圖：「中部臺灣共進會」在臺中公園的會場，燈座廣告為知名的「森永牛奶」。
右圖：「中部臺灣共進會」海報。

　　另外，在都市的發展下，臺中公園也成為中部地區的「聚會場地」。從開園之後，官方將臺中公園當成一個公眾聚會的場所，不少大型的紀念活動都在此地舉辦，例如明治45年（1912年）明治天皇過世，臺中廳長率官員及市民於臺中公園內「遙拜」，大正3年（1914年）昭憲皇太后大葬，臺中廳長也率官民於臺中公園內「遙拜」，這些活動的舉辦，讓臺中公園提供了一項「公共聚會」的功能。

　　而在日治時期，臺中公園舉辦了不少活動，其中最大型的活動當屬在大正15年（1926年）所舉辦的「中部臺灣共進會」。這個大型的活動是因當時還是東宮皇太子的昭和天皇於大正13年（1924年）前來臺灣訪問，臺中市特別在市區中興建「行啟紀念館」（現今自由路及中正路東角的綜合大樓）來紀念此行，而該館於大正15年（1926年）竣工落成，為了慶祝此一盛事，由臺中市來負責籌劃此一大型活動，將臺

中州的產業、教育、衛生、土木工程、交通建設做一展覽及介紹，會期由3月28日起至4月6日止，後因配合日本皇室高松宮親王的來臺行程，會期延至4月13日。

當時「中部臺灣共進會」共分為五個會場，其中第一會場正是位於新開幕的「行啟紀念館」內，是為教育、學術、美術、工藝、衛生及番族館，而臺中公園則為第四會場的「林產館」，公園內的「物產陳列館」則為第五會場，展示土木、電氣、交通等方面。為了迎接這個大活動，在臺中公園內也興建了「演舞場」，供演出日本舞蹈及臺灣傳統戲劇使用，另外公園內的「中之島」則作為「休憩所」使用，而在臺中公園及臺中公會堂（位於自由路）則設有小賣店。

由於「中部臺灣共進會」是臺灣中部在日治時期的一項大活動，吸引不少民眾前來參觀，臺中公園的第四會場「林產館」，正是展示著中部伐木業的盛況，全館以臺灣著名的紅檜所興建，門口還有兩根大原木作為裝飾，場景相當壯觀，而館內則展示著檜木製成的家具，現場充滿著檜木的香氣。

在臺中公園內「物產陳列館」的第五會場，則是以展示土木、交通、電氣為主。在大正15年（1926年）當時，電氣產品仍屬於新興科技，該館內展出「家庭電化模型」，提供民眾想像未來電氣化的世界，而在夜間，會場外還懸掛著474枚燈泡及投射燈，並由噴霧器噴出五彩煙霧，令人目不暇接。另外在公園內的水池則安裝灌溉用抽水機，現場示範電氣抽水的威力，而水池周圍則出租給業者作為宣傳廣告使用。

除了這兩處會場之外，公園內的兩處「演藝館」也上演餘興節目。

第一演藝館由臺中市的藝妓聯合演出「臺中四季」節目，而第二演藝館則演出新劇、活動寫真（電影）及臺灣傳統的「藝旦曲」。總計在「中部臺灣共進會」的展覽期間，五個會場內總共有 571,486 人進場，入門券收入超過十萬元，其中設在臺中公園的兩個會場就有 207,068 人進場參觀，而在「中部臺灣共進會」舉辦之時，臺中市人口還不到十萬人，能有如此多的參觀人數，可見活動之盛大。

 來去臺中公園「納涼」

除了日治時期的「中部臺灣共進會」舉辦之外，臺中市的商家也曾經利用夏天的夜晚，在臺中公園舉辦「納涼會」，藉由活動之後推銷商品，但規模並不大，直到戰後，臺中市的人口迅速增加，而在當時的市區中，只有臺中公園擁有較大的場地，可以提供舉辦活動使用，因此，各種大型活動就在公園來進行，只有水源地的運動場可供利用，因此不少官方舉辦的活動都於臺中公園內展開。

────────── BOX ──────────

納涼會

日本經常利用夏天夜晚舉辦祭典或是活動，稱為「納涼會」，而此一傳統也傳入臺灣。1930 年代，「臺中州商工經濟會」就在臺中公園開始舉辦此一活動，以促銷各類商品並繁榮市容，可是受第二次世界大戰的影響而停辦，直到 1948 年 7 月，才由臺中市商會來舉辦「納涼會」。

右頁圖：在「中部臺灣共進會」舉辦期間，臺中公園水池的遊艇都掛著日本國旗。

而許多具有「官方色彩」的活動，例如「反共抗俄」大會、慈幼大會、反共義士來臺中、全省戲劇比賽等，也是在臺中公園來進行。《臺灣新生報》就報導了在 1949 年 10 月 8 日所舉辦的「新國民道德歌大合唱」活動，召集一千人在臺中公園內來舉辦此一大型活動，內容如下：

　　臺中市新國民道德運動委員會主辦之「新國民道德歌大合唱」，於八日晚八時，在本市中山公園中正亭舉行。是晚明月當空，涼風習習，來此參與盛會的男女老幼，摩肩擦踵。計到有陳市長（陳宗熙）、本市軍政黨各機關、學校、社團首長，各報記者、學生、市民等不下一千餘人，陳市長致詞後，即由臺中市音樂協會演奏，並由林鶴年指導，節目計有國歌、臺中市市歌、新國民道德歌、南國歌聲、茶花女、千香山、種田、插秧歌、可愛的臺灣、桃思、希望行進曲等十八種，其中有林伶蕙暨陳祖思的獨唱外，均由臺中市音樂協會伴奏。此外又有臺中市基督

聖歌隊於「勝利日」演奏之節目，亦極精彩。查國民道德歌係由陳果夫作詞、林鶴年作曲。

　　除此之外，由臺中市商會舉辦的各種活動，例如「夏令市民納涼會」、「商人節慶祝大會」、「全市商展」及「全國商展」等活動的舉辦，都是以臺中公園為舉辦地點，吸引不少外來遊客參與，更讓臺中公園的知名度增高不少，茲將當時所舉辦的活動一一詳述於下：

年代	活動名稱	內容
1948 年	夏令市民納涼會	為期 10 天，在臺中公園擺設商品販賣。
1950 年	第四屆商人節	在臺中公園放映電影及猜謎。
1951 年	第五屆商人節	在臺中公園舉辦，並放映電影、平劇。
1952 年	第六屆商人節	在臺中公園舉辦「軍民同樂會」。
1953 年	第二屆市民納涼會	為期 10 天，在臺中公園舉辦。
1953 年	第七屆商人節	在臺中公園舉辦「軍民同樂會」。
1954 年	第八屆商人節	在臺中公園舉辦「軍民同樂會」。
1956 年	第三屆市民納涼會	為期一個月，在臺中公園舉辦，並有攝影比賽，約有 60 萬人次參觀。
1957 年	第四屆市民納涼會	為期 17 天，並在臺中公園內舉辦釣魚及攝影比賽，參觀人數有 50 多萬人。
1960 年	全省商品廉賣大會	為期 33 天，在臺中公園舉辦，有 58 家業者及 74 個攤位加入，並舉辦蘭花展覽會。

（參閱《臺灣臺中商業大觀》之「臺中市商會歷年大事紀」）

從以上的表格可得知，在 1948 年之後，臺中市商會經常在臺中公園舉辦各種活動，也藉由這些活動來炒熱商機，不但讓市民多一個休憩的好場所，也讓臺中公園增添不少遊園人潮，尤其是臺中市商會在夏季所舉辦的「納涼會」期間，更是商品大賣的一個熱潮。

　　「納涼會」的主要目的，在於增進工商業繁榮及提供市民納涼消遣，在 1948 年首次舉辦，會期僅有十天，但隨後因戰爭結束、百業復興，臺中市的「納涼會」規模愈來愈大，會期甚至長達一個月之久。尤其是在 1956 年的第三屆「納涼會」，不少位於臺中市中區的商店也配合此一活動的舉辦，來個「大特價」以促銷商品，而臺中市商會也舉辦「商品櫥裝飾比賽」，更吸引商家及市民的參加。當時在臺中市中區開設婦產科的洪孔達醫師還曾經前去拍照，記得當時熱鬧的情景，他說：

　　　　每屆的納涼會都為臺中市帶來極大的商機，尤其是主辦地點臺中公園內外，每天晚間可說是人山人海，不但公園內搭設布棚來販賣商品，公園外也有許多攤販，人來人往幾乎可說是無可立足之地。而公園內的「池亭」也被裝飾得相當美麗，燈泡在黑暗中閃閃發光，並在池水中反射，顯露出「池亭」的典雅。

　　　　洪孔達是臺灣首位使用彩色底片照相的老攝影家，他以照相機拍下了當時熱鬧的景象，在這些早期的彩色照片中，保留下好幾張當時的照片，成為最好的歷史紀錄。

　　除了「納涼會」等商業活動外，1955 年 10 月 25 日正好是臺灣光

復十週年紀念，臺灣省各界為了慶祝此一盛事，舉辦不少活動，其中省政府也邀請臺中市最有名的北管子弟社團「新春園」及「集興軒」來臺中公園演出，由於這兩個子弟社團分屬於不同的北管派別，為了「拚面子」，在中部地區的「軒派」及「園派」子弟紛紛來到臺中市「助陣」，造成相當大的轟動。當時曾上臺演出的廖江源回憶道：

原本省政府只給我們一天的演出經費，但在演出時軒、園二派相互較勁，在「輸人不輸陣」的情況下，大家不敢散場，每天都有新戲碼上演，不但吸引了中部地區的北管子弟前來觀賞，一般市民更是扶老攜幼前來觀看這難得一見的「軒園拚」，二個子弟社團就在公園裡連續演出了十天。

在演出時，不管是新春園或是集興軒都從其派別中調派人手來支援，因此從大甲、清水、大肚、彰化、南投等地的北管子弟，紛紛前來臺中公園為其派別助陣，甚至參與演出，為了因應這些人士的吃住，臺中市的北管子弟紛紛出錢出力來安頓大家，使得這十天的「拚戲」相當熱鬧、絕無冷場。但這麼多人在公園內看戲，二派子弟又是劍拔弩張的「拚戲」場面，政府惟恐發生意外，規定在每天晚間十點時燃放鞭砲，一聽到鞭砲聲音，二方就要鳴金收兵，等待第二天再上演，最後雙方連「拚」十天，最後在市政府看見情況不對勁，找到雙方的「頭人」加以勸說，結束這場「拚戲」。

臺中公園在愛國獎券上

在繁榮的商業及民間活動下，臺中公園的美景更為人所知，因此政府也有意將其影像留在票券之上，尤其是最負盛名的「愛國獎券」。

愛國獎券是目前臺灣發行最久的博弈性彩券，從 1950 年到 1987 年間，總共發行了 1,171 期，而在 37 年的發行歷史中，愛國獎券的圖案可說是包羅萬象，從中國河山、臺灣風光、壯盛的三軍、故宮國寶、節慶、二十四孝、歷史人物、著名城樓、宏偉橋樑等。在當年，因白色恐怖以及戒嚴之緣故，社會充滿了肅殺的氛圍，而愛國獎券的發行，讓當時的人們的情緒有了紓解與喘息的空間，坊間甚至還有〈獎券小姐〉的臺語流行歌來四處傳唱，提高人們對於獎券的好奇心。

愛國獎券的開辦時，正是國民政府播遷來臺。當時國庫空虛、百廢待舉，再加上中華人民共和國已成立，隔海威脅臺灣，使得國民政府的財政，大部分都必須挹注在國防之上，其它的經濟及地方建設缺乏經

〈獎券小姐〉歌詞

阮是十八愛國花，為國心和齊，手提獎券出來賣，站在十字街，一張五元無外多，每月開獎有二回。獎券啊！買獎券！先生緊來買，太太緊來買，愛國發財好機會，福氣的人來交陪。青年的人不通慢，先買心先安，第一特獎二十萬，結婚兼買田，不免煩惱家貧散，變成富翁無為難。獎券啊！買獎券！哥哥請你等，妹妹請你等。開獎日到著有按，愛國發財偶然間。無論男女抑老幼，上流抑下流，愛國心肝同一樣，一人買一張，請恁節約著煙酒，買著獎券助稅收。
獎券啊！買獎券！獎券買入手，福到免憂愁，祝恁愛國的朋友，有財有福的新秋。

愛國獎券上的臺中公園。

費。當時的臺灣省財政廳長任顯群就想到以開辦獎券來增加收入的方式，由臺灣銀行發行了愛國獎券。

剛開始發行的第一期愛國獎券，面額高達 15 元，且為 10 張一聯方式，每聯售價為 150 元，而第一特獎則為 20 萬元。在當時一個公務人員每月薪水大約只有 200 元到 300 元左右，一斤蓬萊米也才賣 7、8 角，每聯 150 元的愛國獎券幾乎等於公務人員半個多月的薪水，在價格高昂下，購買者並不踴躍，因此從第二期開始，愛國獎券採用單張發行方式，每張售價降低為 5 元，但第一特獎仍維持 20 萬元，相當於 16 臺斤的黃金，才開始吸引民眾購買。

但第 1 期到第 27 期的愛國獎券上，並無印刷風景等圖案，從第 28 期起，就開始將臺灣風光繪製於其上，包括總統府、臺北中山堂、臺中公園、臺北中山橋、臺南孔廟、新竹城門、阿里山、日月潭等等，其中有 7 期的愛國獎券上的圖案為臺中公園「池亭」，現將其資料整理於下：

愛國獎券期數	發行時間	第一特獎金額	第一特獎號碼
48 期	1952.05.05	20 萬	908390
49 期	1952.05.20	20 萬	342075
102 期	1954.08.05	20 萬	866407
103 期	1954.08.15	20 萬	337526
172 期	1957.07.05	20 萬	457154
214 期	1959.04.20	20 萬	945534
335 期	1964.04.15	25 萬	457182

在 1952 年 5 月 5 日所發行的第 48 期愛國獎券,以臺中公園作為圖案,之後又連續發行以臺中公園為圖案的六期愛國獎券,由於當時面額五元的愛國獎券是不少民眾的寄託所在,購買之後就有著一分中獎的希望,就算沒有中獎,也會將愛國獎券收藏保存,成為傳家之寶。

第十章

臺中公園的住戶們

1920 年代設立於臺中公園內的動物園，經常吸引大批人潮前往觀看。

臺中公園從明治 36 年（1903 年）10 月開園之後，因環境優美兼有亭園之勝，成為臺中的觀光名勝之地，而公園內的「池亭」也在明治 41 年（1908 年）10 月完工，由於其造型典雅又深具特色，也成為臺中的地標之一。但這座景色優美、令人流連忘返的公園內，竟然也有「人」居住於此，他們在此學習、生活，甚至生兒育女，除此之外，還有「動物」也住在這裡，以供人類觀賞之用。

令人好奇的是，公園的土地早已為市府所有，而公園設立的目的則是提供市民休憩使用，為什麼會有人住在這裡？這些人又是誰呢？另外，臺中公園地處市區之中，又怎會有動物出現呢？

其實，在臺中公園設立百餘年來，面臨了社會的變遷與政權的更迭，難免會有一些「偏離」設立宗旨之事發生，在探討臺中公園時，也必須回顧這段歷史，了解其時代背景，才能了解這些人以及動物為何會在臺中公園內生活。

漆器的棲身地

臺中市工藝傳習所 (64) 是由日人山中公 (65) 所創立。山中公原姓「甲谷」，出身於日本四國，在明治41 年（1908 年）由「東京美術學校」（現今的「東京藝術大學」）蒔繪科畢業，入贅於「山中」氏，依日本的習俗必須改姓。而山中公的岳父當時正在臺中市開設「富貴亭」料理店，是臺中市數一數二的大酒家，位於「新富町二丁目」（現今的三民路與中正路一帶），他因而渡海來臺，在大正 5 年（1916 年）時，就在臺

中市開設「山中工藝所 (66)」，專門生產漆器藝品。

　　山中公所製作的漆器相當精美，且運用臺灣的風景、民俗作為其創作題材，再加上臺中市的氣候及溼度較為穩定，適合漆器的製作，這些漆器受到日本觀光客的喜愛，成為臺中市相當著名的工藝美術品。到了大正 7 年（1918 年）間，山中公的漆器作品已被放置到臺中公園內的「物產陳列館」展示及販售，從日本、滿洲或韓國前來臺灣旅遊的觀光客，都喜歡買幾件具有臺灣特色的漆器回故鄉，尤其當時臺日的貿易正好興起，日本商人經常每半年就要到臺灣收取貨款，而在他們返回日本之前，通常都會順道帶一些紀念品回去致贈親友或是客戶，山中工藝所的產品具有臺灣風味，又極具紀念性以及收藏價值，受到日本商人的青睞。

　　因觀光業的推波助瀾，山中工藝所的漆器逐漸聞名全臺，臺灣總督府還在大正 12 年（1923 年）頒發兩千元的獎勵金給予山中公，表揚其貢獻。大正 15 年（1926 年）的「中部臺灣共進會」舉辦之際，山中工藝所出品的三件漆器獲得好評，評審們以其「塗術優秀，與內地製品相較毫不遜色，而圖案嶄新設計，用色大膽，具有濃厚的地方色彩。」山中公因而獲獎，與大甲帽蓆同業組合所出品的大甲帽、豐原郡內埔庄張萬里所種植的黑糯米、員林郡社頭庄蕭昌垣所種植的香蕉，並列為最高品質的「名譽賞牌」。

　　由於山中工藝所生產的漆器具有地方特色，盛名遠播海外，被取名為「蓬萊漆器 (67)」。當時的臺中州知事三浦碌郎及臺中市尹遠藤所六有意設立工藝傳習所，專門培養漆器製作人才，以發展臺中州的特色

產業。昭和3年（1928年）發布「臺中市工藝傳習所規程」，並由臺中市役所出資來設立，並為三年修業結束。

　　由於「臺中市工藝傳習所」為政府出資設立，校區就設於臺中公園內的「物產陳列館」以及一旁的兩層樓的木造建築物，而山中工藝所則為「工廠」所在。學校招生時，第一年有六名日本人及四名臺灣人成為學員，這些學員進入傳習所之後，不但學費全免，每月還可以領取五元的生活費用，福利相當不錯，但也規定在畢業後必須留在臺中市兩年，並要從事漆器相關工作。

　　由於學校位於臺中公園內的「物產陳列館」，老師和學生的作品直接可以在「物產陳列館」中販賣，在昭和2年（1927年）就和山中公學習漆器的臺中市籍薪傳獎得主陳火慶 (68)（1914年～2001年）回憶道，當時是設置漆工科及木車床科，每科學生為五人，除了由山中公先生擔任主事（主任）之外，術科則是由工藝所的師傅前來傳授，但為了培養學生其它知識，傳習所也聘請外校老師前來擔任英文、數學、國語（日文）教師。

　　後來，臺中市工藝傳習所在臺中公園內的二層建物因年久失修，學校就遷移至公會堂（目前自由路停車場）後方的一棟木造房屋內，但過不了多久就遭人縱火焚燬，損失相當慘重。昭和7年（1932年）時，臺中市役所取消由政府設立的傳習所，轉而以補助方式，山中公依「私立學校規則」，將學校改名為「私立臺中市工藝傳習所」，因此公立的學生只招收四屆，即改為私立學校，校區則為明治町一丁目六番（現今自由路的新聞處藝術銀行附近），昭和11年（1936年）又改稱為「私

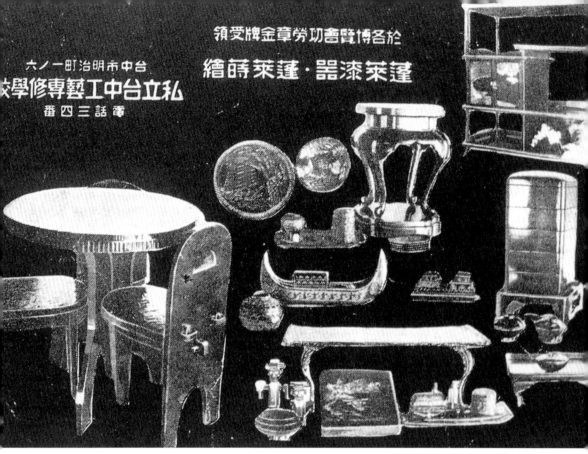

私立臺中工藝專修學校之廣告。

立臺中工藝專修學校」。

在改制為私立之後，前來學習的學生都必須繳納學費，直到戰後因日本人必須被遣返回國，山中公只好放棄臺灣的事業並回到日本，而在臺中市的工藝傳習所則面臨結束的命運，師傅及學生各奔前程，漆器的製作也因日本人的離去而逐漸沒落。

1946 年時，學校又改名為「私立建國工業職業學校」，但因經費短缺，教師領不到薪水，只好求助於地方民意代表，經過媒體報導之後，由知名的臺灣共產黨員謝雪紅 (69)（1901 年～ 1970 年）出面協助募款，

並擔任校長一職。但在 1947 年臺灣發生「二二八事件」，謝雪紅因組織武力對抗國民政府，事後遭到通緝而逃亡中國，使得工藝學校被要求必須廢校，部分學生轉入臺中高等工業學校，結束這所工藝教育學校的教學歷史。

🏠 1949，我家在臺中公園

在 1949 年之後，國民政府因戰爭失利再播遷來臺，軍隊及其眷屬也撤退來到臺灣，隨後又有大批難民來臺。由於來臺人數過多，軍隊因營舍不足而占用部分的學校及政府機關以作為其駐紮所，連臺中市參議會的會址「市民館」都被占用，市府幾經溝通協商仍無法收回，導致臺中市參議會只好借用臺中市政府來開會。

同樣的情況也發生在臺中公園之內，尤其在 1949 年之後，臺中公園的北側一帶成為空軍的眷村及活動中心，在大墩土丘的西北方，搭建了空軍的眷村「精武新村」，而附近一棟日治時期的公家房舍，也成為空軍的「新生廳」，作為軍官的跳舞娛樂場所，在當年，「新生廳」可說是臺中市唯一的合法的「跳舞場」。

由於眷村入駐臺中公園，歷屆的臺中市議會都要求政府加以遷移，但遷移工作直到 1988 年的農曆春節過後才開始展開，當時臺中市政府計畫分為三期來拆除 124 戶的「精武新村」工程。這項拆遷工程相當麻煩，除了補償原住戶拆遷費用之外，還要安排新眷舍供其居住，因此臺中市政府於 1989 年向市議會提案，請求議會同意由民國 78 年度的歲出

應付款「充實經建業務設備」項下支付，而臺中市議會全力也支持並通過此一提案，因此市府展開了三期拆除工程，才能將這124戶眷村住家拆除，把土地歸還給臺中公園使用。

目前這塊土地已為公園的綠地，種植不少樹木，整體看來綠意盎然，絲毫看不出來以往有124戶人家住在此地的遺跡了。

有後臺的幼稚園

臺中公園內設有幼稚園一事，可能從日治時期就開始，但目前查閱各種資料及詢訪當地耆老，已無法確定其成立的時間。然而在1946年的《臺中市參議會議事錄》中，就有臺中市參議員提及有此一幼稚園存在，並有參議員要求市政府必須收回此一幼稚園，將土地作為「兒童娛樂場」使用。

在空軍部隊進駐臺中之後，臺中公園附近成為其眷舍所在，因此在公園西北側一帶設立「精武新村」，並在1950年於公園內成立了「中興幼稚園」。在早期，此幼稚園是提供給空軍子弟就讀使用，在1951年第一屆臺中市議會第四次大會時，當時的市議員何春木就曾對臺中公園內的幼稚園問題提出質詢，他表示：

中山公園已大失美觀，應予改善，幼稚園被占去則請市府收回，日後可撥交光復國小運用或是供市府遊覽之用。

在何春木的質詢之後，市府並未如期辦理收回幼稚園事宜，在
1958 年第四屆市議會第一次大會中，市議員林鐵樹再度提案，議題為
「請市府收回公園內兒童遊樂園地，自辦兒童教育館，或兒童福利設施
案」。內容如下：

查本市中山公園兒童遊樂園地隔鄰之兒童館，現在充為中興幼稚
園園址，公園係市民全體之公園，不該為一部分市民占住，應從速收回。

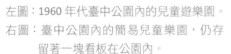
左圖：1960 年代臺中公園內的兒童遊樂園。
右圖：臺中公園內的簡易兒童樂園，仍存
　　　留著一塊看板在公園內。

（一）擬將該兒童館收回後，改為市府自辦兒童教育館，或其它兒童福利設施。

（二）嗣後公園內空地及建物，不得隨便出租及出借，以美化公園。

　　林鐵樹的提案獲得市議員們的支持，除了通過此一提案外，並要求市府從速收回中興幼稚園的土地，而市府則回覆：「現已和現住人及托兒所主辦機關交涉中，俟有著落，再擬定收回方案，送貴會審議。」

　　雖然市府依據市議員提案，和軍方展開洽商，但最後還是不了了之，軍方不願讓步，而所謂「中華婦女反共抗俄聯合會」的後臺更大，該會是由當時的「第一夫人」蔣宋美齡於 1950 年成立，幹部多為中華民國三軍將領的夫人，因此臺中市議會的「收回土地」提案，遲遲無法實現，中興幼稚園繼續在臺中公園內設立並招生，直到 1988 年時，才與「精武新村」一併拆除，將土地歸還給臺中公園。

🏠 孤兒的收容所

　　位於臺中公園北側的「思恩堂 (70)」是屬於「中國佈道會」所有，而該會的創辦人是許志文與沈保羅 (71) 兩位牧師，從中國上海發跡，最早借用上海市延安東路的大滬舞廳舉行主日崇拜。在中日戰爭及國共內戰期間，上海街頭出現不少無家可歸之孤兒，身為孤兒的許志文目睹此景，心中相當感慨，於是募集資金在上海開辦孤兒院，在 1948 年時就收容了三百多名孤兒。

「思恩堂」由蔣中正題字。

　　後來上海市被共產黨攻下，許志文牧師又隨著難民來到臺灣的臺中市，透過教友的協助，在 1948 年向臺中市政府爭取一棟位於太平路上的房舍作為教堂，直到 1952 年，又透過當時也是信奉基督教的臺中市長楊基先協助，取得位於臺中公園北側的土地，作為興建教堂之用，並取名為「思恩堂」，而獻堂之時還請當時的總統蔣中正親自題字，目前仍懸掛於教堂前門上方。

　　在教會興建之時，由於當時正當國共內戰剛結束，不少難民前來

年幼時曾寄宿於臺中公園內「思恩堂」的姚香華。

臺灣，因此思恩堂也在 1952 年設立一所孤兒院，專門收容孤苦無依的孩童。筆者曾經訪問一位寄宿於此的姚香華先生，據他表示：

在 1960 年時，我家的環境愈來愈艱困，父親長期沒有收入，只靠母親幫人洗衣維生，她無法養活我們八個小孩，當時臺中「思恩堂」沈保羅牧師的女兒和我媽媽熟識，得知我們的家庭狀況，想要加以協助，就將我們四個小孩送到「思恩堂」創辦的孤兒院。

　　當時的孤兒院在「思恩堂」旁邊，也就是現在臺中公園的西北側，收容一些父母雙亡、單親或是家庭遭逢變故的小孩，但是我們父母雙全，原本沒有資格入院生活，卻因沈保羅牧師的女兒的協助，教會才特別通融。後來我母親說，把小孩送到孤兒院這件事，並沒有和我父親商量，應該是她自己的主意，因為實在是養不起了，不如讓小孩到孤兒院，

生活還會比在家裡好，後來父親得知此事，也沒法反對，他思念小孩，不敢光明正大來探視，只能偷偷來「看」我們，事後我了解，當時母親要將我們送到孤兒院時，可能資格不符，她大概說謊了，在文件資料上填寫孩子們已經沒有父親，我們才能入院。

臺中的孤兒院在 1961 年被拆除，牧師將我們遷移到臺北天母，另外成立「聖道兒童之家」，透過募款、捐獻等方式興建了新建築，規模更加擴大，收容了一百多位小孩，而且每四人一個房間，管理相當完善，伙食以及生活日常用品也都相當充裕，講實在一點，這裡的生活比住在家裡還要好，但是，我們兄弟姊妹都有被「遺棄」的感覺，常常想要回家，也怨嘆自己為何遭遇如此命運，不能和父母團聚，不能和家人一起生活。

從姚香華的回憶中，能了解當時這家孤兒院的情況。由於思恩堂所在地是屬於臺中市政府所有，並編列為「公園用地」，長久以來就遭到市議會的抨擊，要求市府加以收回，最後在 1961 年時，市府與思恩堂達成協議，要求其拆除教堂主體之外的屋舍，包括孤兒院在內，至於教堂本身則仍留於原址，繼續提供教友使用，而孤兒院則在 1961 年遷移到臺北市天母一帶，改名為「聖道兒童之家」。

臺中行啟記念館。

一只殘缺不全的石燈籠

歷史，有時會因人而異，有時會無故消失，並非一成不變。在消失與改變之間，歷史存在著價值判斷或是非曲直，然而，又是誰在掌握這些判斷？或是去評斷誰是誰非？這個問題值得深思與探討。

　　我想藉由一個故事來作為結尾，從中探討這些「消失」的歷史，又如何「重現」在人們眼前。在臺中公園的神社遺址中，目前尚有十多座石燈籠的「竿」部位，每個「竿」上面，都有記載奉獻者的姓名，而其背後則載明奉獻者的部分資料，例如渡海來臺日期、奉獻日期或是為何事而奉獻等。

　　其中有一只「竿」上刻有「新見喜三」的姓名。從其姓名來看，此人應為日本人無疑，而其背後的資料顯示，他是在明治 28 年（1895年）6 月 9 日渡臺，昭和 6 年（1931 年）1 月 1 日奉獻此一石燈籠。

　　追查文獻資料，發現新見喜三（1874 年出生）出身於山口縣，私立「築地工手學校」（現今日本東京的「工學院大學」）土木科畢業，該學校是日本在明治維新之後所創立的學校，大力培養所謂「技術人才」的搖籃，而日語漢字中的「工手」，是指位於高級技術人員（技師）與工人之間的中階技工，一般擔任的職位為「技手」或是「職工長」。

　　明治 28 年（1895 年）日本攻打臺灣時，日軍於 5 月 29 日登陸澳底，6 月 14 日轉進臺北，而根據保存在臺中公園的「竿」上資料，新見喜三於當年的 6 月 9 日渡臺，因此可以判斷，新見喜三應該是早期隨軍來臺的鐵道技術人員。另外，在明治 32 年（1899 年）《臺灣總督府公文類纂》第 123 卷 4315 冊 11 號中，得知新見喜三原本任職於「臨時臺灣鐵道敷設部」，而該單位為同年 8 月 25 日發布的「臨時鐵道隊勤務令」

左上圖：新見喜三所奉獻的石燈籠。

右上圖：石燈籠上刻有新見喜三的渡海來臺日期以及捐獻日期。

下圖：臺灣總督府職員錄中，可以發現新見喜三的姓名以及職稱。

戰後新見喜三等人所奉獻的石燈籠遭到破壞、遺棄，只保留「竿」的部位，並被充當公園的座椅使用。

而成立的組織，接管臺灣總督府民政局遞信部鐵路課，直到明治33年（1900年）時，他又轉任臺灣總督府鐵道部工務課，擔任「技手」一職。

明治33年（1900年）5月間，「淡水線」鐵道開始動工，新見喜三擔任工地主任，負責興建北投到淡水的鐵道，之後又擔任阿里山鐵道的測量技師，對臺灣鐵道交通興建貢獻不少。但在明治36年（1903年）之後，臺灣總督府職員錄中已經不見新見喜三的姓名，推測他在此時離開公家單位而投入商業，隨後自行創立「新見組」，專門承包營建工程。

由於新見喜三久任官職，因而在總督府及各州廳都有人脈，他棄官入商之後，大多承包官方工程，而且經營範圍愈做愈多，並參與臺中信用組合等事業，在臺北市以及臺中市「綠川町」都有住宅，直到日本戰敗，才被遣送離開臺灣。

從新見喜三在昭和6年（1931年）1月1日到臺中神社奉獻石燈籠一事來看，應該也在其事業有成之後。昭和10年（1935年）時，他又以「來臺四十年有功者」身分，接受臺灣總督府的表揚，直到1945年日本戰敗，遭到遣送回日本，總共在臺灣待了五十年之久，可說是見證日本統治臺灣的歷史。

從以上的整理，我們不難想像在明治28年（1895年）6月9日時，一艘即將開航的船艦上滿載著士兵和軍用物資，將航向遙遠的南方島嶼，一位21歲的年輕人背負著沉重的行李，走上了船。在年輕歲月中，他渡海來臺灣追尋夢想，而在經歷多年之後，這名年輕人步入中年，他獨自創業，在一番努力奮鬥之後，事業逐漸有成，在社會上也有了一定的地位，此時此刻，他感念神明的眷顧，在臺中神社內捐獻了一座石燈

籠，沒想到在老年時卻又遭逢變故，戰爭的失敗不但讓國家蒙上恥辱，連同人民的財產也被視為「日產」（日人財產），遭到國民政府沒收、接收。可能在1946年左右，72歲高齡的新見喜三被遣返回，他失去了財產，孑然一身回到日本，最後不知所終，而他捐獻在臺中神社的石燈籠，也被推倒並棄置不顧。

筆者不知道新見喜三最後逝世於何時？也不知道他回到日本之後的命運如何？幸好，他所奉獻的石燈籠是位於臺中公園，雖然遭到破壞、遺棄，還保留最後的「竿」部位，被充當公園的座椅使用，在2000年時，新見喜三奉獻的石燈籠中的「竿」被找到，重新矗立起來，讓我們得以發現當時在臺日本人的情況，也重新找回新見喜三在臺灣的足跡。

或許，就像本書第一章所言：「臺中公園是一座臺中市歷史的垃圾堆！」千百年來，各式各樣「廢棄物」都被棄於公園內，若是我們仔細地挖掘、整理、研究，即能從中了解前人生活中的點點滴滴，甚至能拼湊出古早生活的樣貌。

新見喜三所奉獻的石燈籠是位於臺中公園，被人們找出來之後，開始拼湊出捐贈者的故事，讓一只冷冷硬硬的石塊，訴說著一位年輕人，在戰亂中渡海來臺灣，在此興建鐵道又自行創業的故事。

其實，類似於新見喜三的故事應該還很多，目前還「埋藏」在臺中公園內。希望本書能拋磚引玉，除了帶領更多人認識臺中公園之外，也能讓有心人繼續來「挖掘」，從中發現更多臺中市的歷史點滴。

參考書目

📖 書籍

1. 王建竹主編，《臺中詩乘》，臺中：臺中市政府，1976。

2. 氏平要、原田芳之編，《臺灣省臺中市史》，臺中：臺灣新聞社，1933。

3. 賴順盛、曾藍田編，《臺中市發展史：慶祝建府百週年紀念》，臺中：臺中市政府，1989。

4. 張啟仲、林澄秋監修，《臺中市志‧卷首》，臺中：臺中市政府，1972。

5. 黃昭堂著，黃英哲譯，《臺灣總督府》，臺北：自由時代出版社，1989。

6. 笹森儀助，《臺灣省臺灣視視察日記‧臺灣視察結論》，臺北：共榮會，1896。

📖 期刊

1. 巴爾頓，〈巴爾頓技師等呈臺中市區計畫報告書〉，臺灣總督府檔案《公文類纂》，乙 31 卷 42 號（1896）。

2. 關口隆正著，陳金田譯，〈臺中地區移民史〉，《臺灣風物》，第 30 卷 2 期（1980）。

3. 賴志彰，〈清代臺中城專輯〉，《臺中文獻》，第 3 期（1993）。

4. 賴志彰，〈日據明治時期臺中市的發展專輯〉，《臺中文獻》，第

4 期（1994）。

5. 洪敏麟，〈從東大墩街到臺中市的都市發展過程〉，《臺灣文獻》，
第 26 卷 2 期（1975）。

6. 江丙坤，〈臺灣田賦改革事業之研究〉，《臺灣研究叢刊》，第
108 種（1972）。

臺中學 1

日月湖心
臺中公園的今昔

| 作　　　者 | 林良哲 |
| 照 片 提 供 | 林良哲 |

發 行 人	林佳龍
主　　編	王志誠（路寒袖）
編 輯 委 員	施純福・黃名亨・林敏棋・陳素秋・林承謨
執 行 編 輯	陳兆華・范秀情・陳書伶・林耕震

出 版 單 位	臺中市政府文化局
地　　址	臺中市西屯區臺灣大道三段 99 號惠中樓 8 樓
網　　址	http://www.culture.taichung.gov.tw
電　　話	04-2228-9111
展 售 處	五南書局／ 04-2226-0330
	臺中市中區中山路 6 號
	國家書店松江門市／ 02-2518-0207
	臺北市中山區松江路 209 號 1 樓

編 輯 製 作	遠景出版事業有限公司
負 責 人	葉麗晴
主　　編	李偉涵
編　　輯	李偉涵
校　　對	謝佳容
美 術 設 計	黃鈺菁

地　　址	新北市板橋區松柏街 65 號 5 樓
電　　話	02-2254-2899
傳　　真	02-2254-2136
劃 撥 戶 名	晴光文化出版有限公司
劃 撥 帳 號	19929057
總 經 銷	紅螞蟻圖書有限公司
初　　版	中華民國 105 年 12 月
定　　價	新臺幣 300 元
G P N	1010502289
I S B N	978-986-05-0441-5

國家圖書館出版品預行編目資料

日月湖心：臺中公園的今昔 / 林良哲著. — 初版.
— 臺中市 ： 臺中市政府文化局出版：晴光文化發行，
2016.12　面　；　公分. —（臺中學；1）

ISBN 978-986-05-0441-5（平裝）

733.9/115　　　　　　105020157